François POLI

LE
POKER

SOLAR

© Solar, 1977.

ISBN 2-263-00184-0

SOMMAIRE

I. NOMBRE DE CARTES ET DE JOUEURS

COMBINAISONS.

On peut jouer au poker à quatre, cinq, six, sept ou huit joueurs, avec un nombre de cartes évidemment fonction du nombre de joueurs : cinquante-deux, quarante-quatre ou quarante cartes, plus rarement trente-six ou trente-deux cartes, sauf en Italie, notamment, où le jeu à trente-deux est le plus fréquent.

Le tableau ci-dessous indique le nombre minimum de cartes à utiliser suivant le nombre de joueurs :

4 joueurs	32 cartes
5 joueurs	40 cartes
6 joueurs	40 cartes
7 joueurs	44 cartes
8 joueurs	52 cartes

Mais rien, évidemment, ne vous interdit d'utiliser, si vous n'êtes que quatre, par exemple, quarante, quarante-quatre ou cinquante-deux cartes.

Plus le nombre de cartes est réduit, plus les combinaisons sont fréquentes.

*
**

Un organisateur de partie met toujours à la disposition des joueurs plusieurs jeux de cartes. Deux, trois ou plus, suivant la durée de la partie.

Ces jeux sont **toujours** à l'état neuf en début de partie. Ils sont utilisés l'un après l'autre au gré des participants, mais chacun d'eux peut servir plusieurs fois au cours de la même partie.

Il est admis, en général, qu'un joueur perdant puisse demander quand il veut un changement de cartes (à condition de ne pas le faire toutes les trois minutes). S'il vient de perdre pendant une heure avec les cartes rouges, il demande les cartes bleues, et vice versa. On respecte les superstitions des joueurs, aussi nombreuses que variées.

*
**

L'ordre de valeur des cartes de poker est le suivant (dans l'ordre croissant) :

Deux, Trois, Quatre, Cinq, Six, Sept, Huit, Neuf, Dix, Valet, Dame, Roi, As.

Les cartes dites habillées sont le Roi, la Dame, le Valet.

Pas de hiérarchie dans les catégories, comme au bridge : pique, cœur, carreau, trèfle sont à égalité.

Dans les cinq cartes qu'il a en main, un joueur peut découvrir neuf « jeux » possibles, et neuf seulement. Ce sont, par ordre de valeur croissante :

La carte isolée

La paire

Les deux paires ou double paire

Le brelan

La quinte ou séquence

La couleur ou floche

Le full (se prononce « foul »)

Le carré ou poker

La quinte floche ou séquence royale (1)

Cette hiérarchie peut être considérée à notre sens comme la seule valable, quel que soit le nombre de cartes utilisées. (Voir les remarques que nous faisons à ce propos pages 28 et 33).

La carte Isolée

Quand un joueur possède cinq cartes différentes ne constituant ni une *quinte* ni une *couleur*, son « jeu » est représenté par la carte la plus élevée.

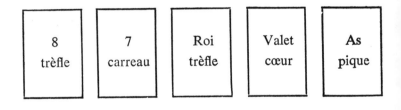

Si deux joueurs possèdent chacun des cartes isolées, le gagnant est celui qui possède la carte isolée la plus haute. En cas d'égalité, ils sont départagés par la carte qui suit la première, et qui est la plus élevée dans la hiérarchie des valeurs.

Si toutes les cartes isolées sont de même hauteur, il y a égalité.

La carte isolée est sans intérêt. Il peut arriver, toutefois, qu'elle départage deux joueurs qui ont cherché, par exemple, à se *bluffer* mutuellement.

---

(1) C'est « flush », terme anglais qui se prononce « fleush », qu'il faudrait écrire. Mais tous les joueurs francophones de poker prononcent « floche ». Sans exception.

La paire

Elle est constituée par deux cartes de même valeur : deux as, deux rois, etc., les trois autres étant différentes entre elles, et différentes des cartes qui constituent la paire.

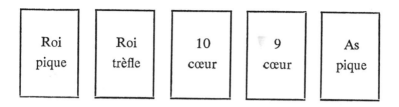

Le gagnant est celui qui possède la paire la plus élevée. S'il y a égalité, ils sont départagés par la carte isolée la plus haute.

La paire constitue un point lui aussi pratiquement sans intérêt.

Les deux paires

Elles sont constituées par deux paires de valeur différente et par une carte isolée.

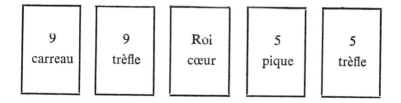

Si deux joueurs possèdent chacun une double paire, le gagnant est celui qui possède la paire la plus élevée.

Si les deux plus fortes paires ont la même hauteur, le gagnant est celui qui possède la paire inférieure la plus haute.

Si les deux doubles paires sont égales, c'est la carte isolée qui départage.

La double paire est une combinaison qui présente une certaine efficacité, mais c'est aussi (nous le verrons plus loin) l'une des plus difficiles à manipuler — sinon la plus difficile.

Le brelan

Trois cartes de même valeur et deux cartes isolées.

As cœur	As carreau	As pique	Valet cœur	10 trèfle

Le gagnant est celui qui possède le brelan formé des cartes les plus élevées. Il ne peut évidemment exister deux brelans égaux.

La quinte

Elle est constituée par cinq cartes qui se suivent, mais ne sont pas de la même catégorie (les quatre catégories étant : pique, trèfle, carreau, cœur).

7 trèfle	8 pique	9 carreau	10 trèfle	Valet cœur

Le gagnant est celui qui possède la quinte la plus élevée, c'est-à-dire la carte la plus haute.

La quinte constituée par un as, un roi, une dame, un valet, un dix est donc la quinte la plus élevée. Il est toutefois généralement admis que l'as puisse remplacer *(dans la quinte et la quinte floche, à l'exclusion de toute autre combinaison)* la carte suivant immédiatement la plus petite carte du jeu utilisé, dans l'ordre décroissant. Si l'on joue avec cinquante-deux cartes, par exemple, l'as joue aussi le rôle du 1. Si l'on joue avec quarante cartes, l'as joue aussi — en plus de son rôle d'as — le rôle du 4. On peut donc obtenir, par exemple, une quinte constituée par un as, un cinq, un six, un sept, un huit. C'est ce qu'on appelle les « quintes blanches », ou « quintes américaines ». Ce sont les quintes les plus faibles.

Si deux ou plusieurs quintes ont des cartes de même valeur, il y a égalité.

La couleur (ou floche)

Elle est constituée par cinq cartes de même catégorie, mais qui ne se suivent pas. Cinq cœurs, cinq trèfles, cinq piques, cinq carreaux.

As	Roi	10	7	4
pique	pique	pique	pique	pique

La couleur gagnante est celle qui possède la carte la plus haute.

Si les deux cartes les plus hautes sont égales, dans deux couleurs opposées, on départage les joueurs en faisant appel aux autres cartes, suivant le principe déjà énoncé.

Si deux couleurs ont cinq cartes égales, il y a égalité.

Le full

Il est constitué par un brelan et une paire.

5	5	5	Roi	Roi
cœur	pique	carreau	pique	cœur

Le full gagnant est celui constitué par le brelan le plus fort.

Le carré (ou poker)

Il est constitué par quatre cartes de même valeur.

Dame	Dame	Dame	Dame	As
pique	carreau	trèfle	cœur	pique

Le carré gagnant est évidemment celui constitué par les cartes les plus fortes.

La quinte floche

C'est une quinte formée par cinq cartes de même catégorie et qui se suivent.

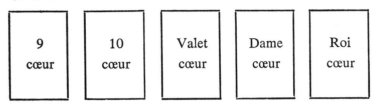

Les observations faites plus haut pour la quinte sont valables pour la quinte floche.

Estimant qu'il ne doit pas exister au poker de point, si fort soit-il, qui ne puisse être battu par un autre, certains joueurs posent comme règle que la quinte floche la plus forte (as, roi, dame, valet, dix) doit être battue, par exemple, par le carré le plus faible. Principe généralement non admis, sauf dans le cas d'un jeu à relances illimitées. Mais le poker à relances illimitées est une aberration.

II. OPÉRATIONS PRÉALABLES

Il est indispensable, avant toute partie de poker, de préciser l'heure à laquelle elle s'arrêtera, et de s'y tenir.

Une prolongation sera parfois demandée par un joueur perdant, et il faudra la refuser, faute de quoi on ne pourra pas en refuser une deuxième un peu plus tard, et ainsi de suite...

Quand une partie de poker commence, il faut considérer comme inévitable qu'il y aura un ou plusieurs perdants, mais qu'il ne sera pas nécessaire de jouer vingt-quatre heures d'affilée pour s'en rendre compte.

Il est seulement d'usage, le délai fixé atteint, de jouer encore un certain nombre de coups, dont l'ensemble constitue les « tours de pot ». Nous y reviendrons.

Deuxième opération : le tirage au sort des places autour de la table.

Le moyen le plus simple est de prendre dans le jeu autant de paires qu'il y a de joueurs, puis de partager ces paires en deux paquets identiques. Chaque carte du premier paquet est posée, découverte, sur le tapis, à la place prévue pour un joueur. On mélange les cartes du second paquet, on les place cachées sur la table ; chaque joueur en tire une et s'assied à la place indiquée par la carte découverte égale à celle qu'il vient de tirer.

*
**

Troisième opération : fixer le montant de la masse de jetons — égale pour tous — que chaque joueur aura devant lui pour commencer la partie. Cette masse s'appelle la « cave ».

C'est en général l'organisateur de la partie qui distribue les jetons (qui « fait les caves »), mais ce peut être n'importe lequel des autres joueurs.

Si les joueurs se connaissent bien, s'ils sont solvables et si on le sait, on ne se donnera pas le mauvais genre de leur demander de payer d'avance leurs jetons.

Dans tout autre cas, il sera préférable de faire régler le montant de la cave de départ, ainsi que celui des caves suivantes, le cas échéant.

Dans le cas où les billets de banque ou les chèques n'apparaissent qu'en fin de partie, le joueur qui tient les caves devra évidemment noter avec le plus grand soin le nombre de caves données à chaque joueur.

Un joueur qui prend une nouvelle cave se « recave » — et ne peut se recaver qu'en prenant un montant de jetons identiques à la masse de départ, ou un multiple de cette masse.

*
**

Quatrième opération : se mettre d'accord sur un ensemble de particularités variables suivant les parties (et qui apparaîtront dans les pages suivantes).

L'une d'elles concerne le montant de la mise minimum qu'on pourra avancer sur le tapis. Cette mise minimum s'appelle un « chip ». Elle est représentée par le plus petit jeton.

Tel joueur a l'habitude de prendre part à des parties où la quinte blanche n'est pas valable, tel autre considère qu'il existe une hiérarchie entre carreau, pique, cœur et trèfle, tel autre prétend que la quinte floche majeure soit battue par le plus petit carré, etc.

Eclaircir au départ les points litigieux permet d'éviter des incidents insolubles par la suite, qui pourront être d'autant plus pénibles que le niveau de la partie sera plus élevé.

(Se reporter à la page 20 où nous donnons un rappel de ces points litigieux.)

*
**

Ces opérations effectuées, la partie peut commencer.

Elle commence par la « donne », ou distribution des cartes (1).

---

(1) Le donneur doit nécessairement présenter les cartes à couper, mais la coupe n'est pas obligatoire.

Le joueur qui a tiré la plus forte carte lors du tirage des places donne le premier. Le donneur suivant sera le premier joueur placé à sa droite (et ainsi de suite).

En France, le sens généralement observé est le sens contraire aux aiguilles d'une montre.

✲✲

Une partie de poker est divisée en un certain nombre de « coups ». Chaque coup est lui-même divisé en deux parties : *premier stade* et *second stade* du coup.

Examinons brièvement le déroulement d'un coup, pour mettre en évidence le principe du poker :

Premier stade :

Le donneur distribue une à une cinq cartes à chaque joueur, achevant en se servant le dernier. C'est la « première donne ».

Chacun ayant regardé son jeu, les relances commencent.

Le joueur qui considère qu'il ne possède pas un jeu ou une promesse de jeu suffisants pour risquer quoi que ce soit se retire du coup, et celui-ci se poursuit entre les autres joueurs.

Second stade :

Chaque joueur écarte de son jeu les cartes qu'il juge inutiles. S'il possède une paire et trois cartes isolées, par exemple, il se débarrasse en général des trois cartes isolées, qu'il jette cachées sur le tapis, puis demande au donneur autant de cartes qu'il en a écartées, son but étant évidemment d'essayer de faire la combinaison la plus forte possible.

Cette opération s'appelle l'« écart ».

En donnant à chaque joueur les cartes dont il a besoin après l'écart, le donneur fait sa « seconde donne ».

Les cartes de la seconde donne sont distribuées en bloc à chaque joueur. Un joueur qui a demandé trois cartes, par exemple, reçoit les trois premières cartes consécutives du talon.

S'il ne reste pas dans le talon un nombre de cartes suffisant pour servir tout le monde, le donneur, ayant épuisé le talon, reprend les écarts, les bat, les fait couper et achève sa distribution, en n'incluant évidemment pas dans ce nouveau talon les écarts d'un joueur qui n'est pas encore servi.

Chaque joueur peut demander une, deux ou trois cartes (quatre dans certains cas que nous préciserons plus loin). Un joueur qui n'a besoin d'aucune carte, ayant par exemple une quinte toute faite en main, se déclare « servi ».

La seconde donne achevée, le donneur place bien en évidence devant lui ce qui reste du talon, afin que chaque joueur puisse retrouver d'un coup d'œil, s'il l'a oublié, qui a donné les cartes.

Cela fait, chaque joueur prend de nouveau connaissance de son jeu, et les relances recommencent.

Tel joueur qui estime n'avoir pas un jeu suffisant pour tenir une relance, ou pour sur-relancer, se retire définitivement, perdant ce qu'il a déjà placé sur le tapis.

La relance la plus forte ayant été tenue par un ou plusieurs joueurs, les jeux sont abattus, et le plus fort gagne.

Si l'un des joueurs a fait une relance telle que personne ne se soit jugé assez fort pour la « suivre » (ou la « tenir »), il ramasse tout sans avoir à montrer son jeu. On comprend par conséquent que l'on puisse — au premier stade comme au second — avancer une somme plus ou moins forte dans le but d'effrayer les autres et de les amener à abandonner, alors qu'on ne possède soi-même qu'un jeu faible ou nul. C'est le « bluff ».

III. JOUER LE POT

On joue au poker, sur le plan strictement technique, de deux manières différentes : on « joue le blind » ou on « joue le pot ». Il faut choisir.

Chaque coup d'une partie où les joueurs jouent le pot se déroule de la manière suivante :

Premier stade du coup :

Avant la distribution des cartes, chaque joueur met sur le tapis une mise identique (en général un « chip », ou plus petit jeton).

L'ensemble des chips constitue le pot.

La première donne achevée, c'est le premier joueur placé à la droite du donneur (appelons-le A) qui doit parler le premier.

Il a le choix entre deux attitudes : « passer » ou « ouvrir ».

S'il passe, il dit « je passe » ou « parole » (les deux termes sont synonymes), mais garde ses cartes entre les mains.

S'il ouvre, il dit « j'ouvre » et met sur le tapis une somme égale au pot.

Supposons que A ait passé :

Le joueur B peut passer ou ouvrir.

Il fait dans les deux cas les mêmes gestes que son prédécesseur, A.

Supposons que A ait ouvert :

B peut passer, tenir, ou relancer.

S'il passe, il dit « je passe » et jette son jeu caché sur le tapis. Il est définitivement hors du coup, et perd le chip qu'il a déjà placé sur le tapis.

S'il tient, il dit « tenu », et met sur le tapis une somme égale à celle que A y a placée.

S'il relance, il se contente d'annoncer le montant de sa relance.

Venons-en au troisième joueur, C.

Il a le choix entre trois attitudes : passer, tenir ou relancer.

Si le pot n'a pas été ouvert et qu'il dise « je passe », il garde ses cartes entre les mains.

Si le pot a été ouvert et qu'il dise « je passe », il jette ses cartes, étant définitivement hors du coup.

S'il tient ou s'il relance (le pot ayant évidemment été ouvert), il fait les mêmes gestes que B.

Idem pour les joueurs suivants.

Si tout le monde a dit « je passe », le pot reste où il est et le coup est rejoué. Chaque joueur rajoute un chip, et les cartes passent au donneur suivant.

Si quelqu'un a ouvert et qu'un ou plusieurs joueurs aient simplement tenu, l'ouvreur, à ce premier stade du coup, ne peut plus relancer.

Si quelqu'un a ouvert et que personne n'ait tenu, l'ouvreur ramasse le pot sans avoir à montrer son jeu.

S'il y a eu ouverture (ou bien ouverture et une ou plusieurs relances), et si un joueur ou plus ont tenu, le coup se poursuit, chaque joueur ayant placé sur le tapis une mise identique.

Détail important : La phrase « je passe » n'a pas le même sens suivant qu'elle est prononcée *avant* que le pot soit ouvert, ou *après* qu'il l'ait été.

Avant, elle ne vous met pas hors du coup. *Après*, si.

Avant que le pot soit ouvert, « je passe » peut signifier : « je n'ouvre pas car je n'ai rien entre les mains », mais aussi : « j'attends », « je me réserve », « je ne désire pas ouvrir, mais j'ai peut-être un jeu très fort ».

Vous pouvez dire en effet « je passe » avec un très beau jeu en espérant qu'un autre joueur ouvrira avec peut-être un jeu moyen, et que vous pourrez relancer très fort. On voit aisément l'avantage de cette tactique élémentaire : vous laissez d'autres joueurs s'engager, et vous les attendez au tournant.

En revanche, si vous dites « je passe » alors que le pot a été ouvert, cela signifie que vous n'avez rien entre les mains et que vous avez décidé de vous retirer.

Second stade du coup :

Le joueur qui a ouvert le pot est le premier à dire s'il veut ou ne veut pas de cartes.

S'il n'en veut pas, ayant un jeu complet entre les mains (ou désirant laisser croire qu'il a un jeu complet), il se déclare « servi ».

S'il en veut, il en indique le chiffre, écarte de son jeu les cartes qui ne lui servent pas et les jette cachées sur le tapis. C'est ce qu'on appelle « l'écart ».

Le donneur lui donne les cartes demandées en prenant les premières qui se présentent sur le talon, c'est-à-dire sur les cartes qu'il reste à distribuer.

Même processus pour les autres joueurs.

La seconde donne achevée, nous nous trouvons dans une situation exactement semblable à ce qu'elle était avant l'ouverture du pot, à cette différence près que, cette fois, le joueur qui doit parler le premier n'est pas nécessairement celui qui est placé le premier à la droite du donneur, mais celui qui a ouvert le pot.

L'ouvreur du pot parle donc, et a le choix entre deux attitudes : passer ou relancer.

S'il passe, il dit « je passe », mais garde son jeu entre les mains.

S'il relance, il annonce simplement le montant de sa relance, qui peut être au minimum le plus petit jeton, c'est-à-dire un chip. Dans ce cas, le joueur met son jeton sur le tapis en disant « chip ».

Et les attitudes entre lesquelles les autres joueurs ont le choix sont les mêmes qu'au premier stade du coup : passer, tenir ou relancer.

Si deux ou plusieurs joueurs ont tenu la relance la plus forte, les jeux sont abattus et le jeu le plus fort ramasse tout.

Si un joueur a relancé — ou relancé sur une relance — et que personne n'ait tenu, il ramasse tout sans avoir à montrer son jeu.

Si tout le monde est passé, le pot reste où il est, et le coup est rejoué en entier.

Chaque joueur qui s'est retiré au premier stade du coup a le droit de participer — ou de refuser de participer — au nouveau coup. S'il veut y participer, il doit mettre au pot ce qu'il faut pour que chaque joueur soit engagé pour une somme identique.

Si par exemple le pot de départ était de 50 F, et que trois joueurs sur cinq se soient trouvés engagés au second stade du coup pour 50 F chacun, non compris le pot de départ, les joueurs qui s'étaient retirés au premier stade mettront chacun 50 F. Le coup n'ayant pas été joué, le pot de départ appartient toujours à l'ensemble des joueurs. En toute logique, le joueur qui refuse de participer au nouveau coup serait en droit de retirer sa mise de départ : l'usage veut qu'elle soit perdue.

(Ici encore, la phrase « je passe » n'a pas le même sens suivant qu'elle est prononcée *avant* que l'on ait enregistré une relance, ou *après*.

Avant, elle ne met pas le joueur hors du coup. *Après*, si.)

IV. JOUER LE BLIND

Chaque coup d'une partie où les joueurs jouent le blind se déroule de la manière suivante :

Premier stade du coup :

Avant de prendre connaissance de ses cartes, le joueur placé le premier à droite du donneur met sur le tapis un jeton appelé « blind » (se prononce « blinde »). C'est en général le plus petit jeton, ou chip.

« Blind » est un mot anglais qui signifie « aveugle ». Le joueur qui met le blind — ou « blindeur » — achète le droit de parler le dernier, ce qui est évidemment un avantage.

Le joueur suivant — toujours avant de prendre connaissance de ses cartes — peut « surblinder » (ou mettre un « surblind »), auquel cas il place sur le tapis une mise double de celle que le blindeur y a placée.

En cas de surblind, c'est le « surblindeur » qui parle le dernier.

Le joueur suivant — toujours avant de voir ses cartes — peut « overblinder » (ou mettre un « overblind »), ce qui revient à placer sur le tapis une mise double de celle que le surblindeur y a placée.

En cas d'overblind, c'est l'overblindeur qui parle le dernier.

Il ne peut y avoir d'« over-overblindeur ».

Ces problèmes réglés, le donneur distribue les cinq premières cartes.

Les joueurs prennent connaissance de leur jeu.

S'il y a seulement blind, c'est le premier joueur placé à droite du blindeur qui parle le premier.

S'il y a surblind, c'est le premier joueur placé à droite du surblindeur.

S'il y a overblind, c'est le premier joueur placé à droite de l'overblindeur.

Dans un cas comme dans les autres, ce joueur qui est tenu de parler le premier a le choix entre trois attitudes : passer, tenir ou relancer.

S'il passe, il est hors du coup.

S'il tient, il met sur le tapis une mise égale à celle que son prédécesseur (blindeur, surblindeur ou overblindeur) y a placée.

S'il relance, il annonce simplement le montant de sa relance.

Même processus pour les joueurs suivants, qui peuvent donc passer (se mettant ainsi hors du coup), tenir ou relancer.

Le blindeur, quand arrive son tour de parler, peut relancer, même si les autres joueurs se sont contentés de tenir son blind.

Idem pour le surblindeur et l'overblindeur.

En revanche — détail important — un joueur qui a seulement tenu le blind (ou le surblind, ou l'overblind) ne peut plus relancer, à ce premier stade du coup, si personne n'a relancé après lui.

Si un ou plusieurs joueurs ont simplement tenu le blind, et que le blindeur ne veuille pas relancer, il joue le coup sans avoir à remettre de l'argent sur le tapis, puisque sa mise y est déjà.

Il n'a donc pas intérêt, même s'il n'a rien entre les mains, à passer.

Si en revanche il y a eu surblind (ou surblind et overblind), et qu'un ou plusieurs joueurs aient simplement tenu, le blindeur doit, pour jouer le coup — supposé qu'il ne veuille pas relancer —, mettre au tapis la différence entre le surblind et le blind (ou entre l'overblind et le blind).

Même processus pour le surblindeur.

Si maintenant un ou plusieurs joueurs ont simplement tenu l'overblind, l'overblindeur — s'il ne relance pas — joue le coup, évidemment, sans avoir à remettre de l'argent au tapis. Il n'a donc pas intérêt à passer, même s'il n'a qu'un jeu nul en main.

S'il y a eu seulement blind et que personne n'ait tenu ce blind, chaque joueur met au tapis le montant du blind, et le coup se joue comme un pot.

S'il y a eu blind et surblind, et que personne n'ait tenu, le surblindeur est en droit de ramasser son surblind, augmenté du blind.

S'il y a eu blind, surblind et overblind et que personne n'ait tenu, l'overblindeur est en droit de ramasser son overblind, augmenté du surblind et du blind.

Mais en fait, il est généralement admis que les mises aveugles, quand elles sont peu élevées, restent au tapis. Les autres joueurs ajoutent ce qu'il faut pour que chaque joueur ait placé une mise identique, et le coup se joue comme un pot.

Si par exemple il y a eu overblind, le blindeur ajoute pour sa part la différence entre l'overblind et son blind, le surblindeur la différence entre l'overblind et le surblind, les autres joueurs le montant de l'overblind.

Il peut évidemment arriver qu'un individu — le mot est pris dans son sens péjoratif — reprenne systématiquement son surblind, additionné du blind de son voisin, alors que les autres ne le font pas. Il ne semble y avoir que deux solutions dans ce cas : faire comme lui, ou le prier d'aller exercer son avarice ailleurs.

Si un joueur, quel qu'il soit, a relancé et que personne n'ait tenu sa relance, il ramasse tout sans avoir à montrer son jeu.

Mais si un joueur au moins a tenu la relance la plus forte, le coup se poursuit, et on passe au second stade du coup.

Second stade du coup :

Un certain nombre de joueurs restent engagés.

Le joueur tenu de parler le premier est le premier à droite du blindeur (ou du surblindeur, ou de l'overblindeur).

L'écart, la seconde donne, la fin du coup sont identiques à ce qui a été décrit dans la méthode précédente, les joueurs se trouvant exactement dans la même situation.

Si tous les joueurs engagés au second stade du coup ont déclaré « je passe », et que le coup doive être rejoué, les joueurs qui s'étaient retirés au premier stade du coup peuvent, comme dans la première méthode, participer — ou refuser de participer — au nouveau coup.

Dans l'affirmative, ils mettront au tapis ce qu'il faut pour que chaque joueur soit engagé pour une somme identique.

Supposons par exemple qu'il y ait eu blind à 10 F et surblind à 20 F, et que les deux joueurs qui se sont retirés au premier stade du coup soient précisément le blindeur et le surblindeur. Supposons par ailleurs que les joueurs qui ont joué au second stade du coup se soient engagés pour 100 F chacun, surblind inclus.

Le blindeur et le surblindeur devront mettre pour compléter : le premier 90 F, le second 80 F.

(Ici encore, la phrase « je passe » change de sens suivant le moment où elle est prononcée.

Au premier stade du coup, prononcée après un blind, surblind ou overblind, elle vous met hors du coup.

Au second stade du coup, prononcée *après* qu'une relance a été effectuée, elle vous met hors du coup. *Avant,* non.)

*
**

Les deux méthodes qui viennent d'être décrites — pot et blind — appellent diverses observations.

V. OBSERVATIONS RELATIVES AUX DEUX MÉTHODES

Première observation : il y a toujours au cours d'une partie interpénétration des deux méthodes de jeu. Si l'on joue le blind, en effet, et que personne ne tienne ce blind, chaque joueur étant tenu de mettre sur le tapis une mise égale au blind, le coup suivant — on l'a vu — se joue comme un pot.

Quand on joue le pot, le joueur suivant le donneur a toujours le droit de blinder le pot en mettant sur le tapis, sans voir ses cartes, une mise égale au pot, et le coup se joue comme un blind.

On peut de même surblinder et overblinder un pot.

Blinder le pot se dit aussi : « acheter » ou « ouvrir sans voir ».

Et comme dans la méthode du jeu au blind, c'est le blindeur qui parle en dernier (ou éventuellement le surblindeur ou l'overblindeur), conservant le droit de relancer si on s'est contenté de tenir simplement son blind.

*
**

Dans une partie où l'on joue le blind, le blind est obligatoire. Il ne l'est jamais dans une partie où l'on joue le pot.
Surblind et overblind sont toujours facultatifs.

Si le but recherché dans une partie n'est pas de ruiner quelqu'un, on peut toujours trouver le moyen de la maintenir entre certaines limites (assez fluctuantes malgré tout). Une méthode efficace est de fixer une hauteur maximum pour le blind et le pot constitué au début du coup.

On évitera ainsi qu'un des joueurs se mette brusquement à blinder à des tarifs aussi astronomiques qu'imprévus, qu'il s'agisse de perdants énervés désireux de se refaire sur des gros coups (espoir généralement fallacieux), de gagnants en passe de veine essayant de « forcer » le jeu, ou simplement de joueurs disposant d'une masse de manœuvre importante.

Le pot de départ étant lui-même limité, on ne jouera pas en un seul coup l'énorme pot qui peut avoir été constitué par des passages successifs (dans le cas où l'on serait amené à rejouer un coup) : les joueurs qui s'étaient retirés compléteront, on partagera ce pot en masses égales et on le jouera en plusieurs fois.

Aucune règle ne fait obligation de procéder à des limitations de ce genre. Certains joueurs estiment qu'elles ôtent de l'intérêt à la partie.

Discutable et discuté.

⁂

Dans certaines parties (en Corse et en Afrique du Nord notamment) un pot peut être ouvert non seulement à sa hauteur, mais au-dessus de sa hauteur ; dans d'autres parties, il peut l'être au-dessous de sa hauteur.

Suivant la règle généralement admise, on ouvre un pot *à sa hauteur*.

Si le pot n'a pas été ouvert, il est d'usage que le nouveau donneur demande à chaque joueur d'ajouter un chip avant de distribuer les cartes — dans la mesure évidemment où ce rajout ne fait pas déborder le pot, en quelque sorte, si on a fixé pour celui-ci une hauteur maximum.

⁂

Certains joueurs pratiquent un jeu où le donneur peut exiger une combinaison minimum pour l'ouverture d'un pot : deux rois, par exemple. On peut ouvrir si l'on possède deux rois ou plus, on ne peut pas si l'on a moins. Règle généralement non admise. Et illogique : le poker étant un jeu où il s'agit en permanence de cacher ce qu'on a, on ne voit pas pourquoi on admettrait une règle contraire à ce principe.

⁂

Lors de l'écart, un joueur peut demander une, deux, trois cartes ou se déclarer servi. Le blindeur, le surblindeur et l'overblindeur peuvent en demander quatre.

Le donneur, dans ce cas, ne doit jamais donner les quatre premières cartes du talon. Il en donne trois, sert les joueurs suivants, puis donne sa quatrième carte à celui qui était en droit d'en demander cette quantité.

Si le joueur qui a demandé quatre cartes est le dernier qu'il faut servir, le donneur lui donne d'abord trois cartes, jette (ou « brûle ») la suivante, et lui donne sa dernière carte.

※

Au second stade d'un coup, il peut arriver qu'un joueur que l'on vient de relancer ait oublié combien de cartes le relanceur a tirées, et qu'il ait besoin de le savoir pour décider de son attitude. Le joueur à qui cette question est posée est en droit de ne pas répondre, et personne n'a le droit de répondre à sa place. Mais s'il accepte de répondre, il doit donner son tirage exact.

※

Dans une partie où l'on joue le pot, il peut arriver, si les joueurs sont nombreux, que le pot de départ ne soit pas complet, quelques joueurs ayant oublié de mettre leur mise de départ. On ne sait plus qui a mis son jeton et qui ne l'a pas mis.

Pour éviter ce problème (fréquent), on peut décider que le donneur seul soit tenu de mettre sur le tapis une somme représentant le pot. Tous les joueurs donnant à tour de rôle, cela revient au même. Si l'on avait effectué un certain nombre de donnes sans que le pot ait été ouvert, et que celui-ci atteigne sa hauteur maximum (au cas où l'on jouerait en limitant les pots de départ), la mise placée par le donneur suivant serait simplement mise en réserve et jouée le coup suivant.

※

Dans certaines parties, on considère non seulement que le blind n'est pas obligatoire (ce qui revient à jouer le pot), mais encore que n'importe quel joueur peut blinder. C'est le cas en Tunisie notamment, où l'on considère également que dans le cas d'un blind simplement tenu par un seul joueur, le coup ne se joue pas. Il faut qu'il y ait relance du blindeur ou de l'autre joueur pour que le coup se joue. (La formule employée est : « Le coup est couché à deux. ») (1)

---

(1) Les parties tunisiennes, et par voie de conséquence celles des Pieds-Noirs émigrés, sont parmi les plus dures qui soient. Rapides et souvent violentes, la moindre faute y est immédiatement sanctionnée, et les pièges y sont plus nombreux qu'ailleurs. Exemple : vous avez une quinte servie ; vous posez votre jeu sur la table ou vous le gardez fermé entre vos mains ; la seconde donne arrive ; sans regarder de nouveau votre jeu, vous vous déclarez servi. Très bien. Mais si vous l'ouvrez une seule fois avant de dire « servi », c'est une faute. Faute également si vous regardez ostensiblement la masse de jetons que possède un adversaire avant de le relancer pour le montant de cette masse, etc. Hors de Tunisie ou hors du monde des Pieds-Noirs, ces méthodes ne sont pas généralement admises.

Il peut arriver qu'un joueur, dont c'est le tour de donner les cartes, n'ait pas envie de les distribuer, par superstition ou toute autre raison. Il est alors en droit de s'en abstenir, à condition de ne pas le faire chaque fois, ce qui finit par devenir agaçant, et de les passer à son voisin de droite en disant : « Je passe la main. » Il paie ce droit d'une mise — en général l'équivalent du blind minimum —, mais cette mise ne lui donne d'autre privilège que celui de ne pas faire les cartes, et elle est acquise à l'ensemble des joueurs.

Si un deuxième joueur désire passer la main, il met sur le tapis une mise double de celle que le précédent passeur y a placée, et ainsi de suite, jusqu'à ce que, de passage en passage, on revienne éventuellement au premier passeur, qui sera finalement obligé de faire les cartes. Il arrive en fait qu'un ou deux joueurs passent la main, rarement plus.

Dans certaines parties, s'il y a passage de main, cela signifie que chaque joueur doit mettre sur le tapis une mise égale à celle du passeur, et que le coup se joue comme un pot, passer la main n'ayant d'autre but que de provoquer la création d'un pot. Affaire de convention.

Les conventions, quand elles ne mettent pas en cause l'essence même du jeu, sont aussi valables les unes que les autres, tous les joueurs étant à égalité.

*
**

Une fois atteinte la limite fixée pour la partie, il est d'usage, comme nous l'avons dit, de jouer encore un certain nombre de coups supplémentaires, c'est-à-dire de faire un, deux ou trois tours de plus (voire davantage) — un tour étant constitué par autant de coups qu'il y a de joueurs.

On fixe le nombre de ces tours avant le début de la partie. Chaque coup se joue comme un pot, chaque joueur mettant sur le tapis une mise identique, dont le montant est lui aussi fixé au début.

Chaque fois qu'un pot n'est pas ouvert, le coup est dit « non joué », et le donneur distribue de nouveau. On dit alors que « la main ne passe pas ».

Un tour est terminé quand on a joué autant de coups qu'il y a de joueurs. Et ainsi de suite jusqu'à épuisement du nombre de tours fixés.

Pendant le dernier tour, on considère généralement que le pot doit avoir été non seulement ouvert, mais encore qu'un joueur au moins doit avoir tenu l'ouverture pour que le coup soit considéré comme joué

Les cartes ne passant pas au donneur suivant en cas de non-ouverture du pot, pendant les tours, il peut évidemment arriver qu'un joueur soit dans l'obligation de faire les cartes plusieurs fois consécutives, ce qui peut être assommant. On peut éviter ce désagrément par l'emploi de ce qu'il est convenu d'appeler un « objet d'art » : jeton de forme particulière, médaille, porte-clefs, etc.

Quand les tours de pot commencent, le premier donneur place devant lui cet objet, puis donne les cartes.

Si personne n'ouvre ce premier pot, l'objet d'art passe au joueur suivant, qui distibue à son tour.

Si le pot a été ouvert, le coup est considéré comme joué, et l'objet d'art ne bouge pas. Le coup achevé, le donneur suivant distribue.

Chaque fois que le pot n'est pas ouvert, l'objet d'art passe au joueur suivant. Quand les cartes reviennent à celui qui a l'objet d'art devant lui, on a joué autant de coups qu'il y a de joueurs, et le premier tour est terminé.

*
**

La liste ci-dessous rappelle les points importants à préciser en début de partie :

Fixer la durée de la partie.

Préciser l'ordre des combinaisons.

Etablir si l'on admet ou non la quinte blanche.

Fixer le nombre de tours de pot.

Fixer éventuellement la hauteur maximum du pot et du blind.

VI. RÈGLES IMPÉRATIVES

Personne n'est à l'abri d'une erreur au cours d'une partie de poker. La plus ennuyeuse est de constater en fin de partie que les gagnants gagnent plus que les perdants ne perdent. Le joueur qui a tenu les caves a oublié d'en marquer une, mais on ne sait plus qui cela concerne. L'expérience prouve qu'on diminue les risques d'erreurs en donnant à chaque joueur, en début de partie, une masse de jetons égale à cinq ou six fois la cave de départ. Il met une cave devant lui et garde les autres dans sa poche ; et si le besoin s'en fait sentir, il se recave en prenant simplement des jetons là où il les a mis en réserve, après avoir évidemment prévenu les autres joueurs.

Reste que l'erreur est tout de même possible. Certains joueurs considèrent que le responsable est celui qui a tenu les caves et qu'il doit par conséquent l'assumer, quitte à en être de sa poche. Position illogique : tenir les caves représente un travail non rétribué, et on ne voit pas pourquoi, dans ces conditions, quelqu'un se porterait volontaire pour l'effectuer. Or, il faut tout de même qu'il soit fait.

Dans la mesure où l'on joue entre gens honnêtes (et il ne peut en être autrement), le bon sens commande de faire assumer l'erreur par l'ensemble des gagnants, qui la partageront au prorata de leurs gains.

Si au contraire les caves marquées sont supérieures au total des jetons gagnants, on avantagera les perdants au prorata de leurs pertes.

S'il apparaît que le joueur qui a tenu les caves est coutumier de ce genre d'erreurs, l'intérêt commande de faire appel pour la partie suivante aux services d'une bonne volonté plus efficace.

*
**

D'autres erreurs concernent la distribution des cartes. Il y a maldonne quand un joueur reçoit quatre ou six cartes au lieu de cinq, mais également quand le donneur retourne par inadvertance une carte en la donnant.

La première donne effectuée, chaque joueur a intérêt à vérifier, avant de regarder ses cartes, qu'il en a bien le compte exact. Une maldonne annule la donne. L'usage veut que le coup suivant soit toujours un pot. S'il y avait blind, par exemple, chaque joueur ajoute une mise égale au blind ; s'il y avait pot, chaque joueur ajoute un chip, et le coup se joue avec le pot augmenté des différents chips.

Mais il peut arriver qu'un joueur constate qu'il a six cartes après les avoir regardées. Il est en droit de reprendre sa mise et ne joue pas le coup, qui se poursuit entre les autres joueurs.

S'il s'aperçoit qu'il n'en a que quatre avant de les avoir regardées, il est en droit de faire annuler la donne ; mais s'il les a déjà regardées, l'usage veut qu'il ne puisse pas refuser de jouer le coup pour cette raison. Les formules employées sont : « quatre cartes jouent », « six cartes ne jouent pas ».

*
**

Il arrive assez fréquemment que le donneur retourne par inadvertance une carte au cours de la première donne. De nombreux joueurs considèrent — à tort — que ce n'est pas un motif suffisant pour refaire la donne. Supposons en effet que la carte retournée soit un roi ; si la donne n'est pas refaite, le joueur ayant deux rois en main pourra hésiter à s'engager dans le coup, et le coup sera faussé.

Si en revanche une carte est retournée au cours de la seconde donne, après l'écart, l'usage veut que le joueur auquel elle est destinée ne puisse la refuser.

*
**

Il peut arriver enfin, au second stade du coup, au moment d'abattre les cartes, qu'un joueur se trompe en annonçant la hauteur de son jeu. On ne tient pas compte de la fausse annonce. Les cartes étalées sur la table font foi. Formule employée : « Les cartes parlent ».

Si certaines conventions peuvent varier d'une partie à l'autre, il y a au poker des règles que personne ne discute. Elles sont fondamentales. Elles font obligation à tout joueur de parler dès qu'il a eu le temps matériel de voir son jeu, ou dès que le joueur qui le précède a parlé. Toute erreur dans ce domaine est immédiatement et impitoyablement sanctionnée.

Il est par conséquent indispensable, la première donne achevée, de prendre immédiatement connaissance de ses cartes pour être en mesure, quand sera venu son tour, de parler sans délai.

Il faut notamment :

— Parler très vite pour dire si l'on ouvre ou non un pot, si l'on suit ou non un blind.

— Parler dès que le joueur précédent a parlé, *quoi qu'il ait dit.*

Les relances et les sur-relances, en particulier, doivent être formulées dans la seconde qui suit, faute de quoi on pourra vous les refuser. Vous ne pourrez plus que dire : « chip », c'est-à-dire avancer le plus petit jeton sur le tapis, ou tenir simplement une autre relance, s'il y en a une.

— Parler à son tour.

Si vous formulez une relance alors que ce n'est pas votre tour, on sera en droit de vous la refuser. Comme précédemment, vous ne pourrez plus que dire : « chip » ou tenir simplement une autre relance.

Dans deux circonstances seulement, il est admis qu'un joueur puisse disposer d'un certain battement :

1. Le joueur qui vous précède a parlé. Vous n'avez pas eu le temps matériel de prendre connaissance de vos cartes (étant par exemple le donneur). Dans ce cas, vous demandez « le temps et tous les droits » (le temps de voir votre jeu, et le droit de tenir, de passer ou de relancer). Vous prenez très rapidement connaissance de votre jeu, sans filer car vous n'en avez plus le temps, et vous parlez.

2. Vous êtes dernier à parler. Le joueur qui vous précède a parlé : il a dit « chip », il a passé ou il a relancé. Vous avez le droit de prendre tout le temps qu'il vous faut pour décider si vous allez dire « chip », passer ou tenir la relance. Vous demandez dans ce cas : « le temps » (le temps de vous décider), et vous réfléchissez autant qu'il vous plaît, dans des limites raisonnables. Si vous désirez relancer, en revanche il faut le faire immédiatement, comme d'habitude, la relance étant toujours immédiate.

(Si vous n'êtes pas dernier à parler, il n'est pas question de demander « le temps », même pour choisir entre « chip », passer ou tenir une relance. Vous devez parler très vite, et on le comprend : en hésitant, vous avantageriez le ou les joueurs suivants en leur donnant le temps de réfléchir.)

Une autre règle, non moins draconienne, vous interdit de tripoter vos jetons ou de dire *quoi que ce soit* qui ne soit pas le montant de votre relance, avant de formuler celle-ci. Exemple :

Le joueur qui vous précède a relancé de 100 F et vous désirez relancer à votre tour de 200 F.

Ne dites jamais : « Oui, les 100 francs, plus 200 francs », ou bien : « Tenu, plus 200 francs », ou encore : « Vu, plus 200 francs », ou encore : « Je tiens, plus 200 francs », et à plus forte raison ne demandez jamais avant de relancer, même si vous avez mal entendu, à combien s'est élevée la relance du joueur qui vient de parler. Ce qu'on attend de vous, c'est que vous formuliez le montant de votre relance (« Plus 200 francs », ou : « 300 francs », ce qui revient au même, car vous incluez dans ce montant la relance précédente), et rien d'autre.

De là à dire que les joueurs de poker sont des maniaques, il n'y a qu'un pas. Quelle différence entre « Plus 200 » et « Vu, plus 200 » prononcé dans la même foulée ? Mais le fait est que le « vu » n'est pas admis, et que ces deux lettres peuvent coûter très cher.

VII. LE TAPIS

A chaque instant d'une partie de poker, un joueur a devant lui une certaine masse de jetons qu'il utilise pour jouer : c'est son « tapis ». Le tapis est fait de l'ensemble des caves prises par ledit joueur, augmenté de ses gains ou diminué de ses pertes à tel instant de la partie.

Il est strictement interdit en cours de partie de prélever des jetons à son tapis pour les mettre en réserve, ou de se recaver sans que tous les adversaires en soient avertis.

Pour un joueur qui s'intègre à une partie commencée sans lui, l'usage veut qu'il fasse *grosso modo* la moyenne des différents tapis, et qu'il se cave à cette hauteur. S'il lui arrive pendant la partie de n'avoir plus à son tapis qu'une somme dérisoire par rapport aux autres tapis, la courtoisie élémentaire lui commande de ne pas laisser cette situation s'éterniser et de se recaver, à moins évidemment qu'il n'ait épuisé ses possibilités financières.

Un joueur qui dit « Tapis » fait une relance dont le montant est représenté exactement par la masse de jetons dont il dispose. Cette masse constitue la totalité de ce qu'il peut engager sur un coup (à moins que par convention tous les joueurs aient décidé de jouer une partie à relances illimitées, qui permettrait à chacun d'eux d'engager sur un coup la totalité de sa fortune ; mais de telles parties n'existent pratiquement jamais). En d'autres termes, si le joueur qui dit « Tapis » possède 1 000 F à son tapis, et que vous n'en possédiez vous-même que 600, vous n'engagez que 600 F en tenant sa relance.

Mais si vous gagnez le coup, le joueur qui possédait 1 000 F ne vous en donnera que 600, tout joueur ne pouvant exiger d'un adversaire plus d'argent qu'il n'en a lui-même engagé (1).

Les tapis des joueurs étant généralement différents à tout instant de la partie, il est souvent nécessaire de se livrer à une arithmétique élémentaire pour savoir qui a droit à quoi au moment du partage des gains consécutifs au coup qui vient de se jouer.

Exemple :

Supposons un pot à 100 F, et cinq joueurs : A, B, C, D, E.

A ouvre à 100 F.

B suit à 100 F.

C, qui n'a que 50 F à son tapis, suit pour 50 F.

D relance de 200 F.

E se retire.

A tient la relance et ajoute 200 F au tapis.

B, à qui il ne reste plus que 100 F, suit la relance pour 100 F.

Si A gagne le coup, les jeux ayant été abattus, il ramasse : 100 F (le pot) + 200 F (les mises de B) + 50 F (mise de C) + 300 F (mises de D) + 300 F (ses propres mises).

Si B gagne, il ramasse ce qui précède moins : 100 F + 100 F, soit 200 F qui ne « jouaient » qu'entre A et D, B n'ayant pas eu à son tapis de quoi tenir la totalité de la relance effectuée par D. Ces 200 F appartiennent à celui des joueurs A et D ayant le jeu le plus fort.

Si C gagne, il ramasse : 100 F (le pot), augmenté d'autant de fois 50 F qu'il y a eu de joueurs engagés.

Si D gagne, il ramasse évidemment la même somme que A.

Comme on vient de le voir, chaque joueur, quelle que soit la somme qu'il possède à son tapis, a le droit de participer à un coup pour le montant de cette somme.

Vous êtes l'un des joueurs. Vous désirez ouvrir un pot, mais vous ne possédez pas la somme suffisante pour le faire. Vous ouvrez tout de même, avec ce que vous avez. Mais tout joueur qui décide de suivre et qui possède au moins la hauteur du pot sera tenu de mettre une somme égale au pot sur le tapis, quitte à retirer de l'argent par la suite s'il apparaît qu'il ne joue le coup qu'avec vous.

---

(1) Si l'on vous fait une relance qui dépasse le montant de votre tapis, et que vous désiriez tenir, vous dites : « Tenu pour mon tapis », et vous annoncez le montant de votre tapis. De manière générale, quand vous avancez une mise égale au montant de votre tapis, vous êtes tenu de préciser que c'est tout ce qui vous reste, pour le cas où on ne l'aurait pas remarqué. Vous dites alors : « 600 F **et tapis** », ce qui revient à dire simplement : « Tapis. »

Si un joueur a engagé tout ce qu'il possédait dans un coup, et que ce coup doive se rejouer, à la suite de plusieurs « je passe » consécutifs, il n'a ni le droit de se recaver dans l'intervalle ni celui d'ouvrir au second coup, n'ayant plus de jetons devant lui. Mais si un autre joueur ouvre, le précédent a le droit de jouer le coup (pour le seul montant du pot, évidemment).

*
**

Un joueur qui a engagé sur un coup tout ce qu'il possédait conserve le droit, à la fin de ce coup, quelles qu'aient été les autres relances, de « voir le jeu », c'est-à-dire de demander que les cartes soient abattues s'il estime avoir des chances de gagner, mais il a également le droit de passer s'il estime n'avoir aucune chance (et c'est évidemment son intérêt de le faire si tout le monde est passé avant lui, car le coup se rejoue).

*
**

Ne pouvoir engager sur un coup que ce que l'on a devant soi, c'est « jouer le tapis ». Mais il existe une autre manière de jouer, c'est « jouer la hauteur » (1).

Etre à la hauteur signifie que la hauteur de votre tapis, à tout instant, n'est pas représentée par vos jetons, mais par le montant des jetons du joueur qui possède le plus gros tapis.

Si un joueur à la hauteur dit « tapis », cela veut dire, n'aurait-il que 8,50 F devant lui, qu'il fait une relance dont le montant est représenté par le plus gros tapis de la table. Et si vous jouez vous-même la hauteur et que vous teniez cette relance, vous vous engagez pour une somme représentée par le plus gros tapis de la table, quel que soit le nombre de vos jetons.

Si un joueur à la hauteur dit « tapis », vous ne pouvez le sur-relancer. Il a fait la plus forte relance qu'il soit possible de faire. Vous ne pouvez que tenir ou passer.

Il peut y avoir au cours d'une partie un ou plusieurs joueurs jouant la hauteur, et un ou plusieurs joueurs jouant le tapis.

Le joueur qui décide de jouer la hauteur doit le faire savoir avant qu'un coup soit engagé, et s'assurer que tout le monde a bien enregistré son intention. Il peut se déclarer à la hauteur à tout instant — fût-ce avant le dernier coup de la partie —, mais une fois prise cette position, il ne peut plus en changer.

*
**

Observations relatives à la manière de « manipuler » son tapis :

Un joueur de force médiocre n'a jamais intérêt à jouer la hauteur, s'il a devant lui des adversaires brillants et agressifs. Jouer

---

(1) Ou : être « ouvert ».

la hauteur permet de porter des coups très durs, mais vous met également en position d'en recevoir. Jouant le tapis et ne prenant pas beaucoup de caves d'un seul coup, un joueur d'une habileté relative perdra peut-être de l'argent sur certains coups, ne pouvant relancer aussi fort qu'il le souhaiterait, mais il en économisera beaucoup plus par ailleurs.

Mieux vaut attendre, pour se recaver, d'être dernier ou avant-dernier à parler.

Surveiller constamment les tapis des adversaires est une nécessité absolue. Une évaluation qui n'a pas été faite en temps opportun peut coûter cher. Un joueur possédant un faible tapis, en particulier, est difficile à bluffer.

Ne pas s'engager dans un coup avec des adversaires possédant un faible tapis, si l'on a soi-même en main un projet de quinte ou de couleur. Trop grand risque par rapport au possible profit.

**

On peut jouer au poker avec de vrais billets de banque en excluant les jetons, mais le procédé est peu courant.

Il est certain par ailleurs que l'utilisation des jetons contribue à faire perdre au joueur la notion de l'argent. On l'a vérifié autrefois à Monte-Carlo : le jour où furent remplacés les louis d'or par des jetons, on constata un accroissement sensible du volume des sommes jouées à la roulette et au baccara.

**

Certains joueurs ont pour habitude de donner aux jetons avec lesquels ils jouent une valeur réelle inférieure à celle qu'ils paraissent avoir. On avance un jeton de 10 000, mais il ne vaut en réalité que mille francs. C'est jouer « au dixième ».

On peut de même jouer au centième, au millième, au dix-millième, à la moitié, au quart, au cinquième, et ainsi de suite. Cette méthode assez illusoire pour limiter la partie contribue encore plus à faire perdre la notion des sommes réelles en jeu, et malgré tout n'arrive jamais à vous convaincre tout à fait que vous manipulez des millions.

VIII. LES PROBABILITÉS

L'opération déjà décrite, qui consiste à écarter de son jeu, avant la seconde donne, les cartes inutiles pour en demander le même nombre au donneur — l'écart —, est de deux types : écart normal et écart maquillé.

L'écart normal consiste à demander :

— une carte si l'on a deux paires en main, ou un projet de quinte ou de couleur ;

— deux cartes si l'on a un brelan ;

— trois cartes si l'on a une paire.

L'écart maquillé consiste à demander :

— une carte si l'on a un brelan ;

— deux cartes si l'on a une paire.

La carte isolée que l'on conserve est appelée « carte d'appui ». On dit également que le joueur qui pratique l'écart maquillé « épaule » sa paire ou son brelan (ou « masque » sa paire ou son brelan).

L'écart maquillé a évidemment pour but de faire croire à un certain jeu, alors qu'on ne le possède pas, mais aussi de freiner une éventuelle relance par la suite. (On verra en effet plus loin qu'un joueur ayant une certaine pratique du poker ne relance qu'exceptionnellement un tireur d'une carte.)

Savoir pratiquer l'écart le plus approprié à telle circonstance est une nécessité fondamentale. Elle exige notamment l'étude détaillée du calcul des probabilités appliqué au poker, contenu dans les tableaux des pages 29 à 32.

(Dans le jargon du poker, un joueur ayant un projet de couleur dit plutôt qu'il a un « tirage à couleur ». Un projet de quinte bilatéral est un « tirage à quinte par les deux bouts ». Un projet de quinte unilatéral ou à carte intermédiaire manquante est un « tirage à quinte par un bout » pour le premier, un « tirage à quinte par le ventre » pour le second.)

Un joueur doit se pénétrer de ces chiffres, mais ne doit pas leur accorder plus de valeur qu'ils n'en ont. Il ne faut pas en tirer des règles de jeu rigides. La chance et la malchance existent, et dans bien des cas les tableaux sont faussés. Exemple :

Cinq joueurs demandent chacun trois cartes ; vous êtes l'un de ces joueurs ; vous avez une paire d'as. Les probabilités vous disent : « Vous avez tant de chances d'en avoir un troisième », mais c'est faux. Un joueur ayant une certaine pratique du jeu ne s'engage généralement pas dans un coup avec moins de deux dames ou deux rois ; il y a donc de fortes chances pour que les deux autres as soient *déjà* distribués.

Jouer un coup de poker en fonction des seules probabilités, sans tenir compte également de la hauteur de votre tapis, de l'enjeu, serait une aberration.

Cela dit, faisons tout de même certaines remarques :

A partir d'un projet de couleur, une couleur s'obtient d'autant plus facilement que l'on joue avec un nombre de cartes plus élevé. A cinquante-deux cartes, elle est, *grosso modo*, deux fois plus facile à obtenir qu'un full à partir de deux paires. Une couleur à cinquante-deux cartes est un point d'une bonne valeur, sans plus.

Avec une forte paire (rois ou as), et en même temps un tirage à couleur ou un tirage à quinte par les deux bouts, s'il y a eu relance et si le coup se joue entre plusieurs joueurs, mieux vaut chercher le jeu le plus fort en « cassant » la paire et en demandant une seule carte. Si en revanche il n'y a qu'un joueur engagé, il faut garder la paire et chercher le brelan, à moins que ce joueur ne se soit déclaré servi.

Avec une paire inférieure aux rois, et en même temps un tirage à quinte par les deux bouts, il faut chercher la quinte. (Ou la couleur si le projet est un projet de couleur.)

Avec une paire, même forte, et en même temps un tirage à quinte par le ventre ou par un bout, contre un adversaire qui s'est déclaré servi, il faut chercher la quinte.

Avec deux fortes paires (aux rois ou aux as), s'il y a de bonnes raisons de penser qu'il existe un brelan quelque part, il faut écarter la paire la moins forte et tenter le brelan avec l'autre.

Avec deux paires aux as par les rois, il faut pratiquement toujours chercher le full.

Avec deux paires, quelles qu'elles soient, il faut sans hésiter chercher le full si un joueur s'est déclaré servi.

Avec deux paires moyennes ou faibles (valets, dix, etc.) — si l'on est obligé de jouer le coup — chercher le full.

Avec une paire moyenne ou forte (valets, dames, rois), et si on dispose d'un as, mieux vaut le garder comme carte d'appui en face de joueurs ayant tiré une carte, si l'on suppose qu'ils ont deux paires servies ou un projet de quinte ou de couleur.

Avec une paire faible, si l'on est obligé de jouer le coup, il vaut mieux garder une carte forte (roi ou as), si on en possède une, comme carte d'appui.

Avec une forte paire, s'il y a eu relance pouvant laisser supposer un brelan, et si l'on a décidé de jouer le coup, ne pas garder de carte d'appui.

Avec un brelan servi, si l'on a subi ou effectué une relance, garder une carte d'appui si on veut freiner une éventuelle relance. Dans bien des cas, on tirera un meilleur parti de son brelan.

*
**

A propos de la hiérarchie des différentes combinaisons possibles au poker, on peut remarquer :

Le tableau 1 présente pour un joueur moins d'intérêt que les tableaux 2 et 3. Sauf cas exceptionnels (un pot qu'il faut rejouer, par exemple) un joueur n'est pratiquement jamais engagé dans un coup avant la donne des cinq premières cartes. « Si ces cinq cartes ne me conviennent pas, je peux toujours me retirer... » Les probabilités réellement intéressantes concernent donc l'amélioration après écart. A ce propos, remarquons que quel que soit le nombre de cartes utilisées, une quinte est plus facile à obtenir qu'un brelan (tableau 2). Le brelan devrait donc toujours battre la quinte.

Tableau 1*

Cartes	52 1 fois sur	44 1 fois sur	40 1 fois sur	36 1 fois sur	32 1 fois sur
Grosse paire	7,70	5,90	5,15	4,40	3,80
Deux paires	21,05	14,70	12,65	10,50	8,40
Quinte	254,80	132,45	92,70	61,80	39,50
Tirage à quinte par les deux bouts	28,70	19	15,35	12,20	10
Brelan	47,35	32,90	27,40	22,20	16,10
Full	694,20	411,40	304,65	218,20	149,35
Couleur	508,80	598	671,45	785,50	987,15
Tirage à couleur	23,50	24,90	26,10	27,70	30
Carré	4 165	2 468	1 827	1 309	899
Quinte floche	64 974	33 938	23 500	15 708	10 069
Tirage à quinte floche	1 569	1 035	774	580	420

* Il indique au bout de combien de donnes se vérifie pour chaque joueur, dans les cinq cartes de la première donne, suivant le nombre de cartes utilisées, telle combinaison ou telle projet de combinaison.

Tableau 2*

Cartes servies à la première donne	après l'écart	52 1 fois sur	44 1 fois sur	40 1 fois sur	36 1 fois sur	32 1 fois sur
D'une paire	à 2 paires	6,30	5,45	5	4,60	4,20
	à 1 brelan	8,75	7,45	6,80	6,15	5,50
	à 1 full	93,20	64,35	51,95	40,90	31,10
	à 1 carré	360,35	247	199	155	117
De deux paires	à 1 full	11,75	9,75	8,75	7,75	6,75
D'un brelan	à 1 full	16,40	13,70	12,40	11	9,75
	à 1 carré	23,50	19,50	17,50	15,50	13,50
D'un tirage à quinte par les deux bouts	à 1 quinte	5,90	4,90	4,40	3,90	3,40

D'un tirage à quinte par un bout ou par le ventre	à 1 quinte	11,80	9,80	8,80	7,80	6,80
D'un tirage à couleur	à 1 couleur	5,20	5,60	5,80	6,20	6,75
D'un tirage à quinte floche par les deux bouts	à 1 quinte floche	23,50	19,50	17,50	15,50	13,50
D'un tirage à quinte floche par un bout ou par le ventre	à 1 quinte floche	47	39	35	31	27

* Il indique les probabilités d'amélioration du jeu grâce à l'écart normal.

Tableau 3*

Cartes servies à la première donne	après l'écart	52 1 fois sur	44 1 fois sur	40 1 fois sur	36 1 fois sur	32 1 fois sur
D'une paire maquillée	à 2 paires	5,80	4,90	4,50	4	3,60
	à 1 brelan	13	11	10	9	8
	à 1 full	110,10	82,35	66,10	51,65	39
	à 1 carré	1 081	741	595	465	351
D'un brelan maquillé	à 1 full	15,70	13	11,70	10,35	9
	à 1 carré	47	39	35	31	27

* Il indique les probabilités d'amélioration du jeu grâce à l'écart maquillé.

Mais si l'on admettait cela, un tirage à quinte constituerait un jeu de départ avec lequel on n'aurait pratiquement jamais intérêt à entrer dans un coup — un tirage à quinte ne permettant d'obtenir qu'une quinte, jeu facilement battu par le plus modeste brelan. (Alors qu'une paire permet tous les espoirs.) Pour la diversité et l'intérêt du jeu, mieux vaut donc placer la quinte au-dessus du brelan.

On remarquera par ailleurs que s'il est plus facile de faire une couleur qu'un full à 52, 44, 40 et 36 cartes, les chances sont égales à 32 cartes. Il est donc naturel, pour ne pas compliquer les règles, de placer le full au-dessus de la couleur quel que soit le nombre de cartes utilisées (1).

*
**

Un joueur est plus ou moins bien placé à table suivant l'endroit où est placé le donneur et suivant qu'il est lui-même blind, surblind, overblind, ou « acheteur » du pot.

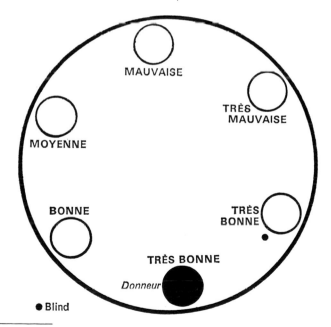

(1) Reste que si vous partez avec deux paires, et si vous ne faites pas le full, vous aurez toujours vos deux paires ; modeste mais appréciable bagage. Le joueur qui cherche la couleur, lui, **doit** la faire, ou se résigner à n'avoir en main que de la roupie de sansonnet. Il prend un risque qui mérite compensation, semble-t-il. Pour cette raison, bien des joueurs placent la couleur au-dessus du full. Mais ce n'est pas l'usage généralement admis.

Les trois figures suivantes indiquent les meilleures places, les places moyennes, les mauvaises places. (Etre « acheteur » du pot équivaut évidemment à être blind s'il n'y a pas de surblind, à être surblind s'il n'y a pas d'overblind, ou à être overblind s'il y a over-blind.)

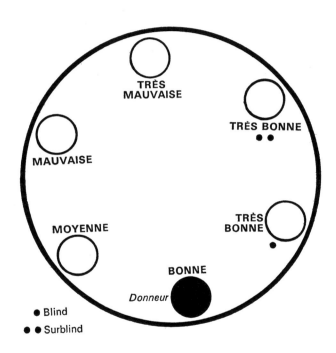

IX. PROBLÈMES POUVANT SE POSER AU PREMIER STADE D'UN COUP

Une partie de poker pose des problèmes à tout instant. Il faut non seulement les résoudre, mais le faire très vite, par une espèce d'automatisme. Pas facile.

Mais c'est pratiquement impossible si on ne tient pas compte d'éléments fondamentaux : les tirages des adversaires notamment.

Un joueur relance et vous hésitez : tenir ou passer ? Si vous avez oublié son tirage (c'est le fait de nombreux débutants), une

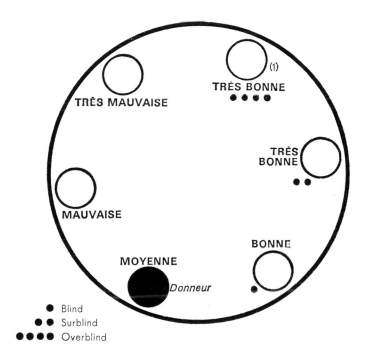

TRÈS BONNE (1)
●●●●

TRÈS MAUVAISE

TRÈS BONNE
●●

MAUVAISE

BONNE

MOYENNE

Donneur
●

● Blind
●● Surblind
●●●● Overblind

notion essentielle vous fait défaut pour apprécier exactement la situation.

Ne pas oublier également que les parties sont différentes suivant le nombre de cartes utilisées. Un tout petit brelan à 52 cartes, c'est quelque chose ; à 32 cartes, c'est peu. Au poker, on apprend chaque jour du nouveau, mais tenir une forte relance effectuée par un joueur dont on a d'excellentes raisons de penser qu'il ne bluffe pas, dans une partie à 32 cartes, au second stade d'un coup, avec un brelan de 9, est la preuve qu'on n'a encore rien appris.

La partie à 52 cartes est, de loin, la plus difficile à jouer. Les améliorations après l'écart, les jeux très forts y sont plus rares qu'ailleurs ; il faut jouer souvent avec des jeux moyens ou faibles, et l'on sait qu'il est toujours plus facile d'exploiter un carré d'as qu'une double paire aux valets par les 2.

---

(1) Avec cette réserve que l'overblind a payé relativement cher cette très bonne place, et que cela peut l'inciter à entrer dans un coup auquel normalement il n'aurait pas participé.

La partie à 52 cartes est celle qui exige le plus d'habileté et d'intuition ; celle où le hasard est relativement limité ; celle où le bluff a les plus grandes possibilités d'action.

Il est clair, par conséquent, que plus le nombre de cartes utilisées est élevé, plus il faut augmenter les mises au premier stade du coup. Plus que les autres, le poker à 52 cartes se joue « à l'entrée ».

*
**

Les problèmes se posent aussi bien au premier stade d'un coup qu'au second.

En voici quelques-uns pouvant se poser au premier stade :

Quand convient-il de blinder (supposé que le blind ne soit pas obligatoire) ou de surblinder ? Certains joueurs ont pour habitude d'avancer systématiquement des mises aveugles sur le tapis ; d'autres au contraire ne le font jamais. Deux attitudes à exclure, semble-t-il.

Surblind et overblind contribuant à faire grossir un coup dès le départ, mieux vaut les pratiquer en période de chance et s'en abstenir en période de malchance.

Quand faut-il tenir un blind ou un surblind ? Quand faut-il ouvrir un pot ?

Une règle d'ordre général est évidente : un joueur n'a intérêt à tenir un blind, à ouvrir ou à suivre une ouverture que s'il possède un jeu de départ qui lui permettra de tenir une éventuelle relance. Dans une partie entre joueurs ayant une certaine pratique du jeu, il est exceptionnel qu'on n'enregistre pas de relance avant l'écart.

Cela dit, on ne décide jamais de l'attitude à adopter en fonction seulement du jeu que l'on possède. D'autres éléments interviennent : les mises qu'on a déjà placées sur le tapis, la hauteur de son tapis, celle du tapis des adversaires, sa position à table, la période de chance ou de malchance traversée.

Il est évident, par exemple, que s'engager avec un projet de quinte ou de couleur (un « faux jeu » dans le jargon du poker) contre un adversaire possédant un tapis insignifiant est une faute. Le risque est trop grand par rapport au profit escompté (1). Il est évident également que les risques de relance dont vous pouvez être l'objet en suivant un blind sont d'autant plus grands que vous êtes placé plus près à droite du blindeur (ou de l'ouvreur si c'est son ouverture

---

(1) Dans certaines parties, on admet qu'un joueur ayant suivi une ouverture avec un faux jeu puisse ne pas jouer le coup s'il reste en présence d'un seul adversaire. Il montre son faux jeu et retire la mise qu'il a placée pour suivre. Le pot appartient évidemment à l'ouvreur. Le joueur qui a l'habitude de se retirer d'un coup dans ce cas doit le faire savoir en début de partie, et naturellement avoir toujours la même attitude.

que vous avez suivie), mais il est non moins sûr que si le pot est important et votre tapis insignifiant, vous aurez intérêt à vous engager, fût-ce avec une paire de 2, et quelle que soit votre position à table.

Si votre tapis est important et si le pot est important, il sera nécessaire de tenir compte de sa grosseur pour évaluer les risques à prendre ou à ne pas prendre. (On retrouvera le même problème avec la relance : avec le même jeu, on paie ou on ne paie pas une relance, bien souvent, suivant que le pot est important ou ne l'est pas.)

Disons que dans une partie à 52, 44 ou 40 cartes, un joueur averti, premier ou deuxième à parler, ayant seulement versé dans le pot un ou deux chips, ouvre rarement ou suit rarement une ouverture avec moins de deux rois. (Et il n'ouvre pas toujours le pot avec deux rois.) Dans une partie à 36 ou 32 cartes, il lui faudra généralement un jeu de départ plus élevé.

S'il n'est pas premier ou deuxième à parler, le problème change : il pourra accepter de suivre une ouverture avec une paire plus faible, éventuellement d'ouvrir le pot.

S'il joue une partie où l'on ne divise pas les pots, et qu'il soit en présence d'un très gros pot, il ouvrira peut-être, parlant en dernier, avec une paire ridicule, voire rien du tout, pour tenter d'« arracher » le pot, la preuve étant faite qu'il n'y a pas de jeux intéressants chez les autres joueurs, ou qu'il y a peu de chances qu'il y en ait, puisqu'ils ont tous passé. Tactique parfois imprudente, mais souvent payante, si elle n'est pas systématique.

Si enfin ce même joueur traverse une période de chance particulièrement évidente, il n'hésitera pas en général à s'engager avec une faible paire, où qu'il se trouve placé.

***

Supposons maintenant que vous découvriez dans votre jeu, après la première donne, non pas la simple paire qui crée le doute précédemment évoqué, mais un élément de meilleur aloi, allant *grosso modo* des deux paires aux rois à la quinte floche (pourquoi pas ?).

Ces éléments de meilleure apparence peuvent se diviser en deux groupes :

a) Il s'agit de jeux pouvant être battus après l'écart avec une facilité relative (deux paires, brelan, faible quinte).

b) Il s'agit de jeux ne pouvant être que difficilement battus après l'écart (forte quinte, full et au-dessus).

Examinons les deux cas :

a) Si votre jeu de départ peut être facilement battu après l'écart, votre intérêt sera le plus souvent de relancer — généralement dès que sera venu votre tour de parler —, dans le but de contraindre le maximum d'adversaires à abandonner le coup, compte tenu du fait que, plus le pot sera important, plus vous aurez du mal à chasser d'autres joueurs.

La relance faite pour chasser doit être évidemment assez forte pour atteindre son but, qui est d'éliminer les simples paires, les petites ou moyennes doubles paires, les projets de quinte uni- ou bilatéraux, voire les petits brelans, mais elle ne doit pas être démesurée. Il y a toujours un risque que l'on vous tienne, ou que l'on vous relance. Si c'est le cas, votre attitude ne peut être fonction que de la hauteur de la relance, de votre sens du risque, de votre tapis, de celui du relanceur, de votre chance, de vos gains ou de vos pertes, et de votre jeu, évidemment. A vous de décider. Tout seul.

Avec un tirage à quinte par les deux bouts ou un tirage à couleur, s'il y a plusieurs joueurs engagés et des tapis intéressants, on peut avoir intérêt à relancer moyennement, pour faire croire à un jeu fort, si l'on n'est pas dans les premiers à parler et s'il n'y a pas eu de relance. On se réserve ainsi une possibilité de bluffer au second stade du coup.

b) Si votre jeu de départ ne peut qu'être difficilement battu après l'écart (très forte quinte, full ou au-dessus), vous aurez évidemment intérêt à relancer pour l'exploiter, mais en cherchant à garder le maximum d'adversaires dans le coup. La relance sera donc moins forte que précédemment.

Prenons le cas d'un joueur possédant un full aux as au départ. S'il est premier ou deuxième à parler, il se contentera de suivre le blind s'il y en a un ; il n'ouvrira pas le pot s'il y a un pot ; il laissera d'autres joueurs s'engager et frappera quand sera revenu son tour de parler.

Tactique plus que classique, et la seule possible dans ce cas.

Le risque est évidemment que personne n'ouvre le pot, et le joueur en question ne gagnera rien pour avoir voulu trop gagner. Mais c'est un risque généralement payant.

X. PROBLÈMES POUVANT SE POSER AU SECOND STADE D'UN COUP

Quand commence le second stade d'un coup, des relances ont généralement été effectuées, chaque joueur a en main son jeu définitif, et le nombre des joueurs est généralement plus réduit qu'au début.

Il est alors possible qu'avec un faible jeu (une paire, deux petites paires), un joueur soit en droit d'espérer avoir le jeu le plus fort, et que son désir soit simplement que les jeux soient abattus, sans frais supplémentaires en quelque sorte.

Dans ce cas, son intérêt est de dire chip en avançant le plus petit jeton sur le tapis, ou de tenir le chip d'un joueur précédent, mais il ne doit pas faire de relance plus forte, à moins qu'il ne désire bluffer. Car, de deux choses l'une : ou bien il n'y a pas de jeu plus fort que le sien chez un adversaire (et on ne le tiendra pas), ou bien il y en a un (et on le tiendra ou on le relancera, et il perdra le coup). Dans un cas comme dans l'autre, il aura risqué inutilement de l'argent sur le tapis (erreur fréquente chez les débutants).

Mais il est évidemment possible qu'un joueur relance sur son chip. Il est clair qu'il doit alors passer, à moins qu'il n'ait de bonnes raisons de penser qu'on est en train de le bluffer. Et dans ce cas, s'il a des réflexes assez vifs, il aura généralement intérêt, non pas à se contenter de tenir, mais à sur-relancer celui qu'il considère comme un bluffeur, pour éviter qu'un autre joueur, qui aurait suivi son chip, ne puisse emporter le coup avec un jeu également faible, mais un peu plus fort que le sien.

*
* *

Exploiter un jeu moyen (de l'ordre du brelan ou de la quinte) pose des problèmes infiniment plus variés et plus difficiles. L'attitude d'un joueur en possession d'un jeu moyen est fondamentalement fonction des tirages des adversaires. Les situations possibles sont si nombreuses, si différentes, elles dépendent de tant d'éléments divers qu'il est parfaitement impossible de les délimiter. Il faut se contenter de certaines remarques :

Contre un ou plusieurs adversaires n'ayant tiré qu'une carte, la prudence est de rigueur. C'est ce qu'oublient trop souvent de nombreux débutants. On ne relance pas un tireur d'une carte, dit-on. (Ce qu'il faut traduire par : la relance n'est en principe justifiée qu'avec un jeu très fort, pouvant difficilement être battu — gros full par exemple —, ou si l'on a la certitude que le tireur d'une carte n'a pas amélioré son jeu. Un joueur possédant, par exemple, deux paires aux as par les rois peut se faire payer une relance, même forte, par un joueur possédant également deux fortes paires un peu plus faibles, si ce joueur a le sentiment qu'on est peut-être en train de le bluffer. Mais il est clair que ce genre de relances est d'une manipulation particulièrement délicate.)

En général, dans le cas où il y a parmi les joueurs un tireur d'une carte, le possesseur d'un brelan, quel que soit ce brelan, aura intérêt à avancer un chip, se réservant de payer s'il le juge utile une éventuelle relance.

En présence d'un joueur qui s'est déclaré servi, le possesseur d'un jeu moyen aura généralement intérêt à observer les mêmes attitudes.

En revanche, en présence de joueurs ayant tiré deux ou trois cartes, un joueur possédant un jeu moyen de l'ordre du brelan ou de la quinte (même si celle-ci est très faible) affronte une situation bien différente. Un brelan d'as, en particulier, devient dans ce cas un jeu très fort, justifiant une très forte relance.

Avec un jeu très fort (gros full ou au-dessus), si un joueur est premier ou deuxième à parler, et s'il a de bonnes raisons de penser qu'un joueur au moins parmi ceux qui doivent parler après lui ne passera pas, il aura intérêt à passer, laissant un ou plusieurs joueurs s'engager pour les attendre au virage. Un joueur parlant après lui s'engagera en effet s'il a un jeu moyen, un autre sera peut-être tenté de bluffer, etc. Et il est bien évident que le possesseur du jeu très fort ramassera plus d'argent en relançant ou en sur-relançant après être passé qu'en relançant immédiatement, une des lois de ce jeu étant que l'on tient d'autant plus facilement une relance que sont plus importantes les mises qu'on a déjà placées sur le tapis.

Dans ce même cas (premier ou deuxième à parler avec un jeu très fort), si le possesseur du jeu très fort estime que tout le monde peut fort bien passer, il aura généralement intérêt à avancer un chip en attendant les événements, pour éviter que le coup ne risque d'être rejoué.

Un joueur parlant en dernier avec un jeu très fort doit évidemment toujours relancer ou éventuellement sur-relancer.

Cela dit, le problème délicat concernant la relance est moins de savoir quand il faut en faire une que d'établir sa hauteur optimum. Tel joueur veut chasser ses adversaires et fait une relance trop faible ; tel autre veut les entraîner dans le coup et fait une relance trop forte. Où est la juste mesure ? Il est hors de doute que c'est à leur façon de relancer que se reconnaissent vraiment les bons joueurs de poker.

*
**

Quand un joueur est l'objet d'une relance, le problème est naturellement de savoir si le relanceur bluffe ou non, et s'il possède un jeu plus fort ou moins fort.

On peut remarquer à ce propos qu'il y a des chances pour qu'un joueur possède un jeu plus ou moins fort si :

— il a ouvert un pot, s'est déclaré servi ou a demandé deux cartes. Au second stade du coup, il a d'abord dit chip, puis — une relance ayant été effectuée — il a sur-relancé.

— il a suivi une relance au premier stade du coup, s'est déclaré servi ou a demandé deux cartes. Au second stade du coup, il a dit chip.

— il a dit chip au second stade du coup, alors qu'il y a eu au premier stade une ou plusieurs relances, et un ou plusieurs joueurs qui s'étaient déclarés servis.

— il est placé le premier à droite du joueur qui a ouvert le pot. Il a tenu. D'autres joueurs ont tenu. Il s'est déclaré servi. Au second stade du coup, il dit chip.

On peut estimer en revanche que : si un joueur, dernier ou avant-dernier à parler, n'ayant pas relancé au départ, relance au second stade du coup, alors que tout le monde a passé ou a dit chip, il y a de fortes chances pour qu'on se trouve en présence d'un bluff.

Mais rien n'est jamais sûr, évidemment. On est toujours obligé, au poker, de tenir compte de ce fait que le problème capital, pour un joueur, est de convaincre ses adversaires qu'il fait ou ne fait pas certaines choses, et de faire le contraire dès l'instant qu'ils en sont convaincus. Tout le poker est dans ce comportement.

XI. LE BLUFF

Bluffer, disent les dictionnaires, c'est leurrer par de fausses apparences, adopter une attitude conventionnelle destinée à en imposer aux naïfs ou à les intimider.

Bluffer au poker, c'est essayer, par une relance appropriée, de chasser un adversaire mieux armé que vous et de ramasser le pot. C'est du moins l'un de ses buts ; ce n'est pas le seul.

Un bluff raté, volontairement ou non, met un joueur en position de mieux exploiter, ou « faire payer » un jeu fort par la suite, étant évident qu'on paie plus facilement une relance effectuée par un joueur ayant un certain penchant pour le bluff, que la même relance effectuée par un joueur qui ne bluffe jamais.

Supposons une partie de quatre joueurs. Vous êtes l'un des joueurs. Les autres ne vous connaissent pas. Pendant une heure, vous n'avez pas bluffé, ou vous avez bluffé sans être pris. Commence une période de chance. Il est certain que votre intérêt est alors de bluffer autant de fois que ce sera nécessaire pour être pris au moins une fois la main dans le sac. Le peu d'argent que vous y laisserez sera largement compensé dans la suite de la partie, que la chance tienne immédiatement les promesses que vous avez cru discerner, ou qu'elle les tienne seulement plus tard.

Il est possible évidemment qu'elle ne les tienne pas du tout, qu'elle vous oublie jusqu'à la fin de la partie. Mais alors, comme vous ne blufferez plus — l'expérience prouvant de manière impérative qu'il faut éviter de bluffer en période de malchance —, votre bluff raté constituera tout de même un avantage appréciable, les autres étant convaincus que vous avez un penchant pour le bluff.

Il est clair, par ailleurs, qu'un joueur considéré comme ayant une propension à bluffer aura plus de mal qu'un autre à réussir ses bluffs. Mais, d'autre part, le joueur que l'on tiendra pour un joueur qui ne bluffe jamais, qui bluffera donc plus facilement, ne gagnera-t-il pas finalement plus d'argent que le précédent, même s'il exploite moins bien ses jeux forts ? Il faudrait pour cela qu'il puisse bluffer impunément un nombre très élevé de fois, ce qui n'est guère concevable. En présence d'un joueur inconnu, la première préoccupation des autres est de déterminer si l'inconnu a coutume ou non de bluffer, et cela se sait généralement assez vite. Le joueur qui aurait bluffé des milliers de fois en dix ans sans jamais être pris est une vue de l'esprit.

Cela dit, aucune observation, ici encore, n'a évidemment de valeur absolue.

Le bluff, d'autre part, est fonction d'un si grand nombre d'éléments divers qu'on ne peut prétendre les cerner. Le bluff est conditionné notamment par le comportement d'un adversaire à tel instant de la partie, par son état d'esprit momentané, par ses gains, par ses pertes, par la hauteur de son tapis, par les coups précédemment joués, etc. Il est clair que c'est le bluff qui exige de qui le pratique le plus d'astuce et d'à-propos, et que la moindre erreur tactique, plus qu'ailleurs, y est immédiatement sanctionnée par l'échec. Il est clair aussi qu'il implique des raisonnements qui vont généralement au-delà du premier degré. Prenons cet exemple élémentaire :

Tel joueur fait une forte relance et vous pensez : « S'il avait voulu que je paie sa relance, il aurait sans doute frappé moins fort. C'est donc qu'il ne veut pas que je paie. C'est donc qu'il n'a pas de jeu ; donc qu'il bluffe. » Mais il est évident que le relanceur peut avoir prévu votre raisonnement, et raisonné lui-même en conséquence. Où est la vérité ?

Ce qu'on peut considérer comme certain, c'est qu'un bluff ne s'improvise généralement pas. On ne tente pas d'« arracher » brusquement un pot par une énorme relance sans avoir tenu compte notamment : de la manière dont s'est déroulé le début du coup ; des tirages des adversaires ; de son propre tirage.

Untel a suivi une ouverture sans relancer. Il a demandé trois cartes. Trois autres joueurs ont demandé une carte ou trois cartes. Tout le monde a passé ou a dit chip. Untel, dernier à parler, est resté avec ses deux valets et fait tapis. Quelqu'un le tient avec deux rois et il s'étonne de perdre le coup. « Quel culot, s'étonne-t-il, de me tenir avec deux rois ! » Mais il est le seul à être surpris.

(Si, en revanche, Untel a touché après l'écart deux autres valets, par exemple, ce qui lui fait un carré, il pourra avoir intérêt à faire tapis, pour faire croire à un bluff maladroit.)

Un bluff, en fait, se prépare (ou se « monte ») au premier stade du coup, en fonction notamment d'une éventuelle absence de relance de la part des autres joueurs, du nombre de joueurs qui ont abandonné, de l'atmosphère de la partie à ce moment, etc., et il est évident que le bluffeur doit jouer le coup exactement comme s'il avait en main le jeu auquel il veut faire croire.

Prenons le cas de six joueurs. Le premier sous la donne a ouvert le pot. Vous êtes placé immédiatement à droite de l'ouvreur. Vous avez un full aux rois. Vous vous contentez de suivre sans relancer, évidemment. Supposons que personne ne relance. On vous demande combien vous désirez de cartes et vous vous déclarez servi. L'ouvreur passera ou dira chip. Et vous avancerez en principe une mise modeste.

C'est évidemment une mise du même ordre qu'il faudra avancer si vous avez joué le coup sans le full servi, mais avec l'intention de faire croire à son existence.

Il est clair par conséquent que c'est à partir de votre manière de jouer avec un jeu fort — et pas autrement — que les bluffs réussis se préparent.

Il peut arriver naturellement qu'ayant décidé de monter un bluff, les événements ne tournent pas comme vous l'espériez, une forte relance éclatant par exemple quelque part, ou une sur-relance arrivant sur la relance que vous avez vous-même effectuée pour préparer votre bluff. (Sur-relance qui sera bien rarement le fait d'un bluffeur.) Que faire ? Le mieux, semble-t-il, est alors de partir sur la pointe des pieds.

C'est une erreur de croire que le bluff exige une très forte relance. Celle-ci est au contraire dans bien des cas la marque du bluff maladroit. En revanche, une relance trop faible par rapport à l'argent qu'il y a déjà sur le tapis incitera toujours quelqu'un à « payer par curiosité ». La relance moyenne sur des joueurs avertis sera généralement la plus efficace, et en tout cas la moins coûteuse en cas d'échec toujours possible.

En fin de partie, sur des joueurs légèrement gagnants, et qui ont l'intention de le rester, le bluff bien conduit est pratiquement toujours couronné de succès. Il est relativement aisé devant les avares, les timides (encore qu'il faille se méfier d'un timide, apte à faire front au moment où on s'y attend le moins), et devant ceux qui ne disposent pour jouer que d'une « masse de manœuvre » relativement réduite.

Le bluff est difficile sur les gros gagnants, les gros tapis, les gros pots, pratiquement impossible sur des tapis insignifiants et les joueurs appelés « payeurs », pathologiquement curieux, qui voient du bluff sous tous les horizons, adversaires épatants quand vous entrez dans une période de chance, surtout s'ils ont été conditionnés au préalable.

Disons enfin qu'avant de s'asseoir à une table de poker, mieux vaut laisser sa susceptibilité dans le couloir. « Bluffez et laissez bluffer » est une vieille vérité première.

XII. DES ERREURS A ÉVITER

L'art de bien jouer au poker échappe à toute définition. Nous n'aurons pas la suffisance d'en formuler une, même approximative. Contentons-nous de certaines observations :

Bien jouer, c'est pour une part éviter les erreurs techniques évoquées dans les pages précédentes, mais c'est aussi savoir à l'occasion commettre ces mêmes erreurs pour donner à penser que l'on joue mal : relancer un joueur servi après avoir tiré trois cartes et en ne possédant qu'un modeste brelan, ne pas relancer avec un fort jeu alors qu'on a toutes les raisons de le faire, etc. — bref, modifier constamment son jeu, et pas seulement en fonction de la chance et de la malchance, compte tenu de cette évidence qu'un joueur réellement inexpérimenté est souvent dangereux parce que déroutant.

Mais ce n'est pas tout. On peut remarquer par exemple que :

Commet une erreur celui qui accepte de jouer une nuit entière alors qu'il sait qu'il ne « tient » pas la distance, qu'il « fatigue » vite, qu'il perd beaucoup de ses moyens au bout d'une heure ou deux (1).

Commet une erreur celui qui s'assied à une table de poker l'esprit préoccupé, qui boit trop, qui ne surveille pas de très près le ton de sa voix ou la manière de tenir ses cartes, et qui par conséquent peut se trahir par de quasi imperceptibles modifications de comportement (2).

Commet une erreur celui qui n'a pas compris que le poker et la conduite d'une voiture ont au moins un point commun : ce n'est pas au sortir de l'auto-école que l'accident est le plus meurtrier, mais par la suite, au terme d'une expérience sur la route que l'on croit suffisante et qui ne l'est pas.

Commet généralement une erreur celui qui s'assied avec des moyens relativement modestes à une table de milliardaires possédant non seulement une grosse « masse de manœuvre », mais sachant la manipuler, ou qui accepte de jouer, ayant quelque argent, avec des joueurs qui ne pourront que perdre une infime partie de ce que lui-même peut être appelé à laisser sur le tapis.

Commet enfin une erreur celui qui mène son jeu sans tenir suffisamment compte des différences fondamentales qui peuvent exister entre ses adversaires. Il n'y a jamais autour d'une table de poker de joueurs psychologiquement identiques, et le jeu qu'il faut y mener est fonction de ces nuances (3).

_____

(1) Mais le moyen de faire autrement ? Un joueur peut rarement imposer la durée qui lui convient le mieux.

(2) On a joué autrefois au poker la tête cachée par une cagoule, sans prononcer un mot, en avançant silencieusement les mises sur le tapis. Mais cette technique appartient au passé.

(3) Pour plus de détails, voir, du même auteur, « Comment jouer pour gagner au poker » (éditions Solar).

XIII. LE STUD

Une variante du poker classique, le « stud-poker » (prononcer « steud »), qui nous est venue aussi des Etats-Unis, consiste à jouer le poker avec plusieurs cartes découvertes. C'est le poker le plus pratiqué actuellement aux Etats-Unis ; c'était le poker des joueurs professionnels qui parcouraient le Far West autrefois, c'est le poker du Kid de Cincinnati, c'est un poker qui lui aussi, comme le précédent, a fait dans le monde des progrès considérables — à Paris notamment, où il arrive fréquemment que l'on intercale plusieurs coups ou tours de stud entre les coups de poker classique.

Le stud est également un jeu de relance et de bluff, impliquant plus ou moins les mêmes tactiques, mais les différences avec le poker traditionnel sont considérables. Le relanceur, en particulier, n'est pas tenu à la relance immédiate ; il est permis de parler pendant le déroulement d'un coup, sans restriction d'aucune sorte, de chercher à influencer un adversaire par n'importe quel commentaire sur son propre jeu ou sur le sien, d'hésiter aussi longtemps que l'on veut pour décider de tenir ou non une relance.

Il y a différentes sortes de studs, mais le déroulement du coup est toujours le même. Voyons ce qu'il est dans le stud le plus élémentaire :

a) Le donneur donne à chaque joueur une carte qu'il pose cachée sur le tapis.

b) Il poursuit sa donne par la distribution à chaque joueur d'une autre carte qu'il place découverte sur le tapis.

c) Chaque joueur prend connaissance de la carte cachée, qu'il laisse cachée sur le tapis, et les relances commencent.

d) La troisième, la quatrième et la cinquième cartes sont également posées découvertes sur le tapis, mais de nouvelles relances s'effectuent chaque fois que chaque joueur est en possession d'une nouvelle carte.

S'il estime n'avoir pas une promesse de jeu suffisante, compte tenu des relances, chaque joueur a le droit de se retirer du coup quand il veut (perdant évidemment ce qu'il a déjà placé sur le tapis), laissant sur le tapis sa première carte cachée, et sa ou ses cartes découvertes sous les yeux des joueurs qui poursuivent le coup sans lui.

Au terme du coup, s'il a continué jusqu'au bout, chaque joueur concerné a donc devant lui une carte cachée et quatre cartes découvertes. C'est évidemment la carte cachée qui crée le doute, et c'est en fonction de ce qu'elle est, ou de ce qu'on veut faire croire qu'elle est, que s'effectuent des relances plus ou moins fortes, ou que l'on décide de bluffer.

Si un joueur a effectué une relance et que personne ne l'ait tenue, à quelque instant que ce soit, il ramasse le pot sans avoir à découvrir sa carte. Mais si la dernière relance possible a été tenue, les cartes cachées sont découvertes, et le jeu le plus fort gagne.

Le joueur premier à parler n'est pas nécessairement le premier placé à droite du donneur, mais celui dont la ou les cartes découvertes constituent le jeu le plus fort — cela pendant tout le déroulement du coup.

Si le premier à parler ne veut pas avancer de mise, il dit « parole » ou « je passe », et si tout le monde dit « parole », la distribution se poursuit.

La dernière carte distribuée, si tout le monde dit « parole », les cartes cachées sont découvertes et les jeux confrontés. On ne rejoue pas un coup de stud.

*
**

Le stud est infiniment plus dangereux que le poker classique, du fait, évidemment, que les relances recommencent chaque fois qu'une nouvelle carte est distribuée. Les fortes combinaisons étant rares, le bluff ne reposant que sur une seule carte, un joueur est tenté de suivre le coup pour peu qu'il possède une forte carte isolée et, à la fin du coup, il a placé sur le tapis une masse généralement imposante de jetons.

*
**

L'ordre des combinaisons au stud à cinq cartes est quelque peu différent de ce qu'il est au poker classique. On le détermine aisément en tenant compte du tableau 1 donné page 29, qui précise : au bout de combien de donnes se vérifie pour chaque joueur, dans les cinq cartes de la première donne (la première et unique au stud à cinq cartes), suivant le nombre de cartes utilisées, telle combinaison ou tel projet de combinaison.

Avec un jeu de 52 cartes, c'est le suivant (dans l'ordre croissant) :

Paire

Double paire

Brelan

Quinte

Couleur

Full

Carré

Quinte floche.

Avec des jeux de 44, 40, 36 ou 32 cartes, c'est celui-ci :

Paire
Double paire
Brelan
Quinte
Full
Couleur
Carré
Quinte floche.

*
**

Le stud à cinq cartes précédemment cité (baptisé « Teresina » par les Italiens) a une variante.

Au lieu de donner la première carte cachée, le donneur distribue deux cartes cachées, et c'est le joueur lui-même qui choisit celle qu'il veut découvrir, ayant naturellement toujours à la fin du coup quatre cartes découvertes et une cachée. De l'avis de la majorité des joueurs, ce stud a plus d'intérêt que le précédent.

Mais il y en a d'autres. Il y a en fait autant de studs que de joueurs imaginatifs, rien ne vous interdisant d'en inventer un et de le mettre en pratique si tous les joueurs en présence sont d'accord.

Deux exemples de studs pratiqués souvent à Paris :

a) Celui qui consiste à donner une carte cachée et quatre cartes découvertes à chaque joueur, mais en plaçant au milieu du tapis cinq cartes cachées que l'on découvre l'une après l'autre à mesure que le coup se poursuit.

Pour constituer la combinaison la plus forte (qui ne peut évidemment comporter au maximum que cinq cartes), chaque joueur dispose non seulement de son jeu, mais des cinq cartes du milieu du tapis, qui restent toujours où elles sont, naturellement. La seule obligation pour ledit joueur est qu'il doit nécessairement utiliser au moins deux cartes de son jeu. (Mais les conventions peuvent varier.)

Si par exemple il y a au milieu du tapis deux valets, un 10, un 4 et un 3, et qu'un joueur possède un valet, un roi, un as, un 2 et un 10, sa combinaison la plus forte est évidemment un full aux valets par les 10.

b) Celui qui consiste à placer non pas cinq cartes au milieu du tapis, mais trois rangées de trois cartes chacune, que l'on découvre toujours à mesure que le coup se poursuit. Chaque joueur peut utiliser non seulement son jeu, mais encore une, deux ou trois cartes parmi celles qui sont au milieu du tapis, en tenant compte du fait qu'il ne peut choisir ces cartes que dans la même rangée horizontale ou verticale, ou dans la même diagonale (1), etc.

---

(1) Dans ces deux exemples, celui qui possède la carte découverte la plus forte est, au début du coup, à la fois le premier à parler et celui qui découvre la première des cartes cachées au milieu du tapis. Par la suite, les deux actions sont effectuées en priorité par celui qui a fait précédemment la relance la plus forte.

Il est évident que, dans des studs de ce genre, le calcul des probabilités est d'un faible secours, à moins de posséder un cerveau construit en ordinateur.

*
**

Il existe aux Etats-Unis une cinquantaine d'ouvrages consacrés au stud. On y relève les noms de plusieurs dizaines de variantes de stud. Citons :

Le stud Pile ou face, le stud Anaconda, la Grande Pipe, Ressort de lit, Au bas de la rivière, Suivez la Reine, Hollywood, Frappe ton pote, Presse le citron, le Fusil à deux coups, Mississippi, Omaha, le Meurtre, le Cochon dans sa bauge, le Tour du monde, le Petit Chien, le Grand Tigre, Stormy Weather, les Lits jumeaux, le Borgne, les Sables mouvants, Fais-leur la peau, Embrasse-moi chérie, la Croix du Sud, la Veuve folle, Rembrandt, le Petit Chicago, le Typhon, Chassé-croisé, le Taureau, Base-ball, Zig-zag et le Crachat dans l'océan.

XIV. QUELQUES PROBLÈMES

On trouvera dans les pages qui suivent divers problèmes illustrés pouvant se poser aux deux stades d'un coup, et les observations qu'ils peuvent suggérer. On pourra ne pas toujours approuver ces dernières ; l'auteur l'admet bien volontiers. Il n'a aucune prétention à l'infaillibilité.

La seule certitude au poker, c'est que rien n'est jamais sûr.

Le comportement d'un joueur placé à telle place, avec tel jeu en main, varie nécessairement en fonction d'éléments eux-mêmes toujours mouvants : la hauteur du pot, celle des tapis, la chance ou la malchance, la psychologie des adversaires, etc.

Faut-il rappeler, par exemple, que si le pot est de 200 francs, on ne réussira jamais à chasser un joueur n'ayant que 15 francs à son tapis ?

Il est clair, par conséquent, qu'il ne faut pas prendre ces observations pour autre chose que de simples données de base.

Elles concernent une partie à 52 cartes, à sept joueurs ayant une certaine pratique du poker, mais on peut les considérer comme valables pour une partie à 44 ou 40 cartes.

PROBLÈME :

A donneur.
B blinde à 10 francs.
C surblinde à 20 francs.
D possède un full aux rois. Quelle attitude adopter ?

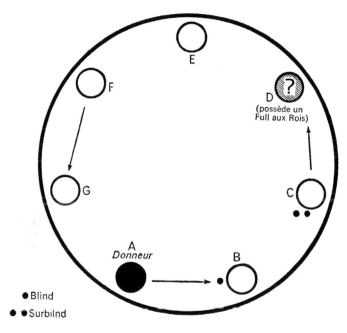

• Blind

• • Surblind

Observations :

D, premier à parler, a six joueurs derrière lui, qui vont parler après lui. Possibilité de gros jeu chez ces six joueurs, mais également possibilité de jeux moyens ou nuls.

S'il y a un ou plusieurs jeux moyens ou gros jeux chez les six joueurs qui doivent parler, il y aura une relance quelque part. S'il n'y a que des jeux nuls, tout le monde passera, à moins que quelqu'un tente de monter un bluff. Dans un cas comme dans les deux autres, D a intérêt à ne pas se manifester par une relance, qui risquerait de chasser les jeux moyens ou faibles, ou d'inciter quelqu'un qui voulait bluffer à s'en abstenir. D doit donc se contenter de suivre le surblind. Si quelqu'un relance, il sur-relancera évidemment, mais pas trop fort, car son intérêt est de garder le maximum d'adversaires dans le coup, un full aux rois étant un jeu très difficile à battre après l'écart.

PROBLÈME :

A donneur.
B blinde à 10 F.
C surblinde à 20 F.
D suit.
E relance de 100 F.
F possède un carré d'as servi. Quelle attitude adopter ?

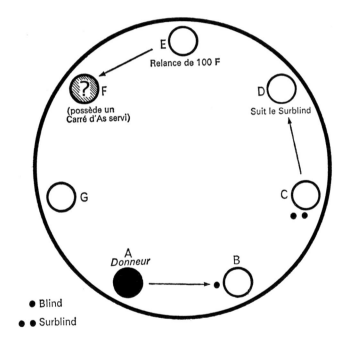

Observations :

G, A, B et C ne se sont pas encore manifestés. Ils peuvent avoir n'importe quoi : gros jeu, jeu moyen ou jeu nul.

E, qui a relancé de 100 francs, peut avoir jeu moyen ou gros jeu.

Avec son carré d'as servi, F doit évidemment garder le maximum d'adversaires dans le coup. Il doit donc suivre la relance de 100 francs, sans plus, en espérant une autre relance chez les six joueurs qui vont parler après lui. En aucun cas, F ne doit relancer après la relance de E.

PROBLÈME :

Pot à 70 francs.
A donneur.
B passe.
C ouvre à 70 francs.
D relance de 200 francs.
E suit à 270 francs.
F possède un brelan de 7. Quelle attitude adopter ?

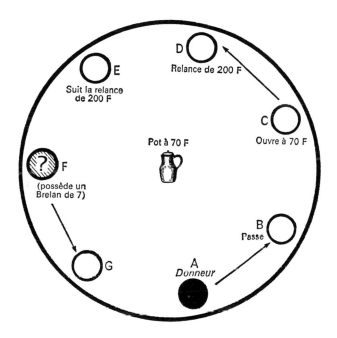

Observations :

G et A n'ont pas encore parlé : possibilité de gros jeu. Possibilité de gros jeu également chez B, C, D et E. Compte tenu de la relance de D et du fait que E a suivi, F est en droit de penser qu'il aura du mal à chasser D et E, à moins qu'il ne prenne le risque (considérable) de faire une énorme sur-relance.

Il peut faire cette sur-relance en période de grande chance. Mais il est plus prudent qu'il se contente de suivre les 270 francs et d'abandonner le coup si une forte relance éclate de nouveau quelque part.

PROBLEME :

Pot à 70 francs.
A donneur.
B ouvre à 70 francs.
C suit.
D relance de 400 francs.
E suit.
F passe.
G possède une quinte as, roi, dame, valet, 10.
Quelle attitude adopter ?

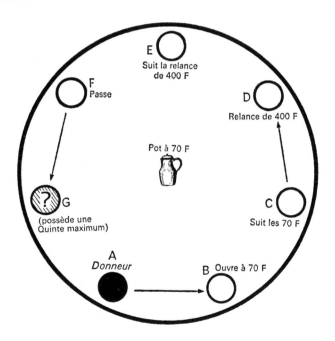

Observations :

Possibilité de gros jeu chez B, C, E et A.

D, compte tenu de la hauteur de sa relance, désire en principe chasser le maximum d'adversaires. Il peut avoir deux fortes
paires, un brelan, une faible quinte. En sur-relançant très fort pour
chasser, G peut enlever le coup. Si on le tient, il part avec un jeu
sérieux en main, qui pourra se révéler suffisant à la sortie. Sauf en
période de malchance, il doit nécessairement sur-relancer très fort
pour éviter notamment que les joueurs possédant deux paires ou
un tirage à couleur n'entrent dans le coup.

PROBLÈME :

Pot à 70 francs.
A donneur.
B passe.
C ouvre à 70 francs.
D suit.
E suit.
F passe.
G possède deux paires aux 10 par les 9.
Quelle attitude adopter ?

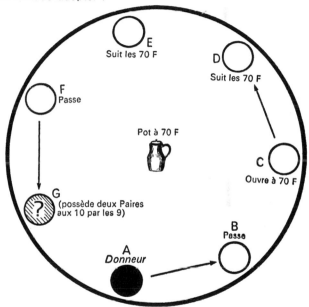

Observations :

Possibilité de gros jeu partout, sauf chez F, qui a passé. Avec ses deux paires faibles, G pourrait être tenté de relancer pour chasser le maximum d'adversaires, compte tenu du fait qu'il possède un jeu pouvant être facilement battu après l'écart. S'il relance, il court un très gros risque : on peut le sur-relancer, et il sera peut-être dans l'obligation de suivre le coup, étant donné qu'il sera déjà fortement engagé. Et il suivra le coup avec un jeu médiocre qui aura peu de chances de se révéler suffisant à l'issue du coup. Mieux vaut donc qu'il s'abstienne de relancer.

En période de malchance, il aura même intérêt à passer.

En période normale ou en période de chance, il pourra se contenter de suivre.

PROBLÈME :

Pot à 70 francs.
A donneur.
B passe.
C ouvre à 70 francs.
D suit.
E suit.
F possède deux paires aux as par les rois.

Quelle attitude adopter ?

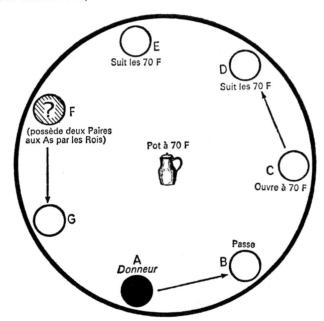

Observations :

Possibilité de gros jeu chez B, C, D, G, A et E.

Avec ses deux très fortes paires, F doit relancer très fort pour chasser le maximum d'adversaires, sauf en période de malchance évidente, où il se contentera de suivre.

Si on tient sa relance, il partira avec des armes assez solides, qui pourront se révéler suffisantes à l'issue du coup. Si on le sur-relance, le problème se complique un peu. Si F traverse une bonne passe de chance, et s'il veut prendre un assez gros risque, il pourra sur-sur-relancer le sur-relanceur, en faisant tapis, à condition qu'il ait été sur-relancé par un seul joueur et qu'il reste de part et d'autre de très gros tapis. Cette relance au « troisième palier » est dangereuse, mais génératrice d'émotions fortes.

PROBLÈME :

Pot à 70 francs.
A donneur.
B qui possède trois 10 servis, passe.
C ouvre à 70 francs.
D passe.
E relance de 150 francs.
F sur-relance de 300 francs.
G suit.
A fait tapis à 700 francs.

Que peut faire B avec ses trois 10 ?

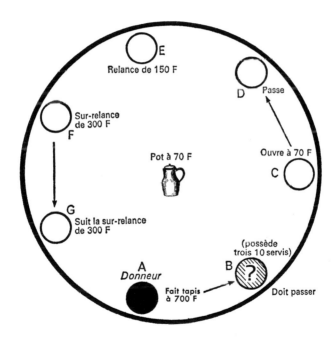

Observations :

B n'est pas engagé du tout dans le coup. Probabilité de gros jeu un peu partout. Et le brelan n'est pas tellement facile à améliorer.

La prudence élémentaire commande à B de ne pas entrer dans le coup.

PROBLÈME :

Pot à 140 francs.

A donneur.

B qui possède 8, 9, 10, valet (de cœur), passe.

C passe.

D ouvre à 140 francs.

E suit les 140 francs.

F suit les 140 francs.

G relance de 300 francs.

A sur-relance de 600 francs.

Quelle attitude B peut-il adopter ?

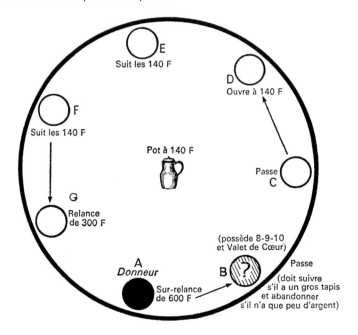

Observations :

Il y a beaucoup d'argent sur le tapis, et apparemment, compte tenu du nombre de suiveurs, d'assez beaux jeux de départ un peu partout. B, après l'écart, peut toucher une quinte, une couleur ou une quinte floche. Trois possibilités, dont une superbe. Difficile de résister à un tirage à quinte floche. B doit s'engager d'autant plus volontiers qu'il a plus d'argent à son tapis. S'il n'a que très peu d'argent, et compte tenu du fait qu'il n'a encore rien mis sur le tapis (sinon sa mise de départ), mieux vaut qu'il ne s'engage pas.

PROBLÈME :

Pot de 70 francs.
A donneur.
B (qui possède trois rois servis) passe.
C ouvre à 70 francs.
D suit les 70 francs.
E suit les 70 francs.
F suit les 70 francs.
G relance de 400 francs.
A passe.

Quelle attitude peut avoir B avec ses trois rois ?

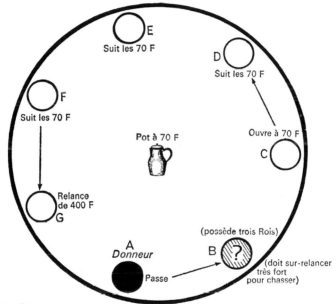

Observations :

Possibilité de gros jeu chez C et D. Possibilité moins grande de gros jeu chez E et surtout F, qui auraient sans doute relancé moyennement.

La relance de G, forte, semble avoir été faite dans l'intention de chasser. Possibilité chez G de deux fortes paires ou d'un brelan petit ou moyen.

Avec ses trois rois, et compte tenu de l'argent qui est déjà sur le tapis, B semble avoir intérêt à sur-relancer extrêmement fort pour éviter qu'un ou plusieurs joueurs ne persistent à rester dans le coup avec deux paires qui pourraient s'améliorer au second stade du coup.

PROBLÈME :

Pot à 140 francs.

A donneur.

B « achète » le pot (ou « ouvre sans voir »), mettant sur le tapis 140 francs (ce qui lui donne, on s'en souvient, le droit de relancer si un ou plusieurs joueurs se contentent de tenir, ou celui de ramasser le pot si personne ne suit).

C passe.

D passe.

E passe.

F suit.

G suit.

A passe.

B a deux as en main. Quelle attitude doit-il avoir ?

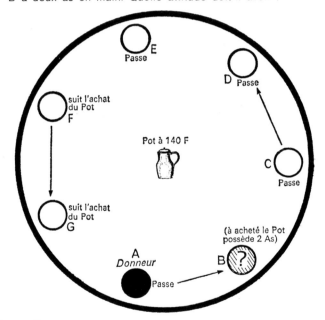

Observations :

Probabilité de jeux faibles chez F et G. Il ne peut exister de gros jeu, sinon, compte tenu des endroits où ils sont placés, l'un ou l'autre aurait relancé.

B, acheteur du pot, peut jouer le coup sans relancer et demander trois cartes. Mais il peut agir autrement, et d'une manière qui se révélera souvent plus profitable : en faisant tout de suite une forte relance pour chasser.

F et G, possédant de faibles jeux, ne s'engageront généralement pas, et B ramassera sans effort trois fois 140 francs.

Il peut arriver évidemment que F ou G, ou l'un et l'autre, décident de suivre. Dans ce cas très peu probable, B partira tout de même avec une forte paire.

Jouer ce coup avec forte relance au départ est en quelque sorte un demi-bluff.

PROBLÈME :

Pot à 70 francs.
A donneur.
B ouvre à 70 francs.
C suit.
D possède une faible quinte.

Quelle attitude adopter ?

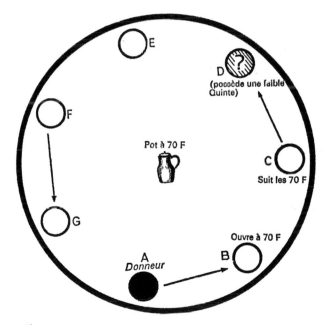

Pot à 70 F

D (possède une faible Quinte)

C Suit les 70 F

Ouvre à 70 F

A Donneur   B

Observations :

Si D ne relance pas immédiatement, il contribue à pousser E, F, G et A à s'engager dans le coup, avec deux très faibles paires, par exemple, un tirage à quinte moyenne ou grosse quinte, ou un tirage à couleur.

Supposons par exemple que G (D n'ayant pas relancé au départ) entre dans le coup avec deux paires très faibles et touche le full. G relancera peut-être au second stade, et D se sentira dans l'obligation de payer la relance, perdant non seulement le coup, mais peut-être pas mal d'argent. En d'autres termes, D prépare en ne relançant pas pour chasser le « coup dur » dont il peut être la victime. S'il relance dès le départ, et que personne ne suive, il ramassera trois fois 70 francs, soit 210 francs, ce qui n'est pas si mal que ça.

PROBLÈME :

A donneur.
B blinde à 10 francs.
C surblinde à 20 francs.
D overblinde à 40 francs.
E possède un full servi.

Quelle attitude adopter aux deux stades du coup ?

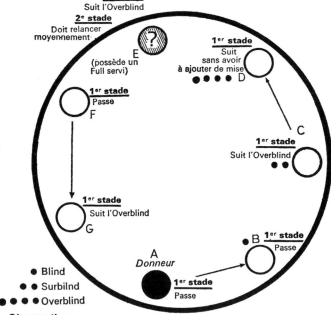

Observations :

Premier stade du coup :

E ayant intérêt à garder le maximum d'adversaires dans le coup se contente évidemment de tenir l'overblind.

F passe. G suit. A passe. B passe. C suit. D joue le coup sans avoir à ajouter quoi que ce soit.

Second stade du coup :

Rien n'indique qu'il y ait gros jeu ou jeu moyen quelque part. E ne doit donc pas dire parole, courant le risque de voir tout le monde passer. E a intérêt à faire une relance moyenne, avec l'espoir que quelqu'un la tiendra. Et il est fort possible que personne ne tienne. Il ramassera peu d'argent avec son full, mais il ne peut guère jouer le coup autrement.

Cette manière de jouer ce coup peut en revanche lui permettre de réussir certains bluffs dans la suite de la partie.

Supposons, en effet, que la situation soit exactement la même, mais qu'au lieu d'avoir un full servi, E ait une simple forte paire. Il tiendra l'overblind. G, C et D jouant le coup sans relancer, comme précédemment, E pourra profiter de la situation pour bluffer le coup. Il ne demandera pas trois cartes, mais se déclarera servi, et relancera moyennement au second stade. Il aura de grandes chances de réussir ce bluff.

PROBLÈME :

Pot à 140 francs ; A donneur.

Premier stade du coup :

B passe ; C ouvre à 140 francs ; D suit ; E passe ; F possède deux paires aux rois. Il relance de 500 francs ; G passe ; A suit ; B passe ; C suit ; D passe.

Second stade du coup (restent en présence A, C et F. A tire une carte ; C en demande trois ; F en demande une).

C, qui est resté avec une grosse paire, dit « parole ».

F, qui n'a pas amélioré ses deux paires aux rois, et qui parle avant un tireur d'une carte, dit « chip ».

A relance de 700 francs, et tapis. C abandonne. Quelle attitude F peut-il adopter ?

Observations :

Il y a dans le pot, à cet instant, une somme importante : 140 francs (le pot), plus 140 (ouverture de C), plus 140 (mise de D qui a suivi), plus 640 francs (F et sa relance), plus 640 (A qui a suivi la relance), plus 500 (C qui a suivi la relance), plus 10 francs (chip de F), plus 700 francs (dernière relance de A), soit en tout : 2 910 F.

F sait que A est un joueur qui bluffe très rarement. F a constaté que A a suivi sa relance de 500 F sans l'ombre d'une hésitation. A a pu entrer dans le coup avec deux paires, un petit brelan qu'il a maquillé en tirant une carte, peut-être un tirage à couleur. F a de bonnes raisons de penser que A possède un jeu plus fort que le sien, qu'il ait amélioré ou non. Mais il y a une grosse somme au pot. Et A peut malgré tout bluffer. (En disant « chip », en effet, F a révélé qu'il n'avait pas amélioré son jeu, ce qui peut avoir incité A au bluff.) Compte tenu de l'importance du pot, F doit payer. Il est, suivant l'expression, « condamné » à payer, même s'il estime avoir de très faibles chances de gagner.

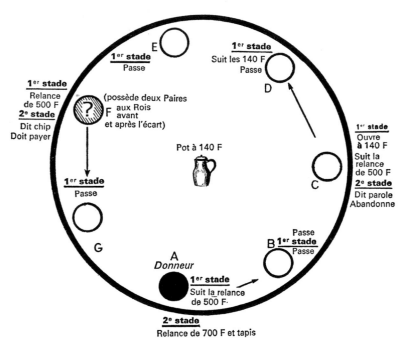

Pot à 70 francs.

A donneur.

B passe.

C, qui possède deux paires aux as par les valets, ouvre à 70 francs.

D suit les 70 francs.

E passe.

F passe.

G passe.

A relance de 250 francs. B passe.

C suit la relance de 250 francs avec ses deux paires aux as.

D fait 800 francs et tapis.

A, qui possède un gros tapis, suit les 800 F. Que doit faire C, qui a lui aussi un gros tapis ?

Observations :

Quasi-certitude de fort jeu de départ chez D. Certitude de fort jeu de départ chez A. (Brelan ou au-dessus.)

C, s'il n'améliore pas ses deux paires, court le risque (considérable) de perdre le coup. Et l'amélioration n'est pas facile.

D étant à tapis, C (en cas d'amélioration) ne pourrait gagner d'argent que sur A. Le risque est décidément trop grand. C doit abandonner.

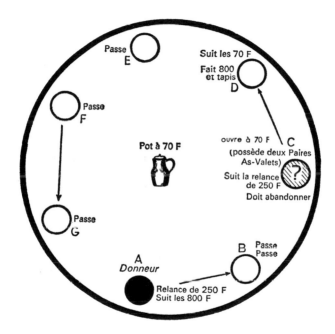

PROBLÈME :

A donneur.
B blinde à 10 francs.
C surblinde à 20 francs.
Premier stade du coup :
D suit.
E suit.
F relance de 200 francs.
G suit la relance.
A passe.

B passe.

C, qui possède un tirage à quinte (6, 7, 8, 9), suit.

D passe.

E suit.

Second stade du coup (restent en présence C, E, F et G. Chacun tire une carte).

E, premier à parler, fait 1 000 francs.

F fait tapis à 1 400 francs.

G suit pour son tapis, qui est de 1 300 francs.

C a touché un 5, ce qui lui fait une quinte au 9. Quelle attitude adopter ?

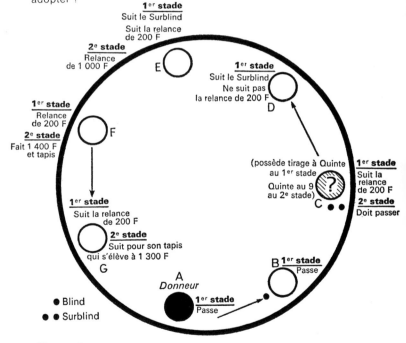

Observations :

Le seul des trois joueurs E, F et G qui soit susceptible de bluffer est E. Et il est fort possible qu'il ne bluffe pas. F et G ont indiscutablement du jeu. E, F et G ayant chacun tiré une carte, très forte probabilité d'une quinte supérieure au 9 quelque part.

C, s'il n'est pas dans une passe de chance exceptionnelle, doit passer, malgré l'importance de la somme qui est sur le tapis.

Achevé d'imprimer sur les presses de la S.N. Imprimerie Lescaret, à Paris, le 4 octobre 1977.

Dépôt légal : 4ᵉ trimestre 1977.   Numéro d'éditeur : 541.